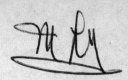

FEMME
PASSION

Dans la même collection

1. *L'année de l'amour,* Barbara Siddon.
2. *Le jeu du vent,* Paula Williams.
3. *Rhapsodies hongroises,* Heidi Strasser.
4. *Je le dompterai,* Aimée Duval.

MARJORIE McANENY

PRISE AU FILET

PRESSES DE LA CITÉ
PARIS

Titre original :
SUMMER LOVE MATCH

Première édition publiée par Pageant Books,
225, Park Avenue South, New York 10003.

Traduction française d'Agnès Marcadier

© 1988, by Marjorie McAneny
© Presses de la Cité Poche, 1990 pour la traduction française
ISBN : 2-285-00005-7

1

LE hors-bord vrombissait en direction de Jasmine, qui faisait la planche sur le lac. L'écume épaisse chuintait sous la quille du bateau et se projetait vers le ciel en un voile d'embruns scintillant. Sans l'avion qui ronronnait au-dessus de sa tête, la jeune femme aurait entendu le bruit du moteur. Or, elle n'entendit rien.

Depuis vingt minutes, elle se livrait aux exercices prescrits par son médecin. A part les minuscules triangles blancs formés par les voiliers sur la ligne d'horizon et quelques barques de pêcheurs dérivant sur le lac, tout semblait calme et limpide parmi les verdoyantes collines du Berkshire. Le soleil de juillet perçait timidement le brouillard matinal.

Dans un doux soupir d'épuisement, Jasmine se laissa flotter, allongée sur le dos, pour se reposer. Sa brasse puissante l'avait menée beaucoup plus loin de la grève qu'elle ne le pensait.

Tout d'abord, cela ressembla au tonnerre. Jasmine repoussa ses mèches châtaines du bout des doigts, cherchant à voir d'où venait ce bruit. Elle céda à la panique en voyant la proue d'une vedette foncer sur elle. Grâce à ses réflexes rapides, elle plongea pour éviter les pales cruelles de l'hélice. De douces vrilles d'épis d'eau se frottèrent à ses membres. Retenant sa respiration, la jeune femme lutta pour rester sous l'eau jusqu'à ce que le grondement du bateau s'éloigne. Un brusque silence régna dans les profondeurs verdâtres et Jasmine réapparut à la surface, haletante.

Un hors-bord aux lignes aérodynamiques dessinait des cercles autour d'elle. A la barre, un homme aux cheveux flamboyants la regardait. Sans avoir le temps de protester, elle fut hissée dans le cockpit pour deux bras musclés et puissants.

— Vous allez bien? J'espère que je ne vous ai pas blessée.

Jasmine n'avait jamais vu des yeux aussi vifs et aussi bleus. Ils pétillaient d'énergie, et de colère aussi, quand l'homme comprit qu'elle était indemne. Ses mains glissèrent jusqu'à sa taille tandis que Jasmine secouait sa chevelure trempée et essayait de reprendre son souffle.

— Que diable faisiez-vous au beau milieu du lac? demanda-t-il, furieux. Vous auriez pu vous faire tuer.

— Si vous aviez regardé devant vous, vous m'auriez vue, répondit Jasmine.

Les cheveux ruisselants, elle s'essuya le visage. « Je dois avoir l'air vraiment horrible », songea-t-elle, étonnée que cette pensée lui vienne en de

8

telles circonstances. Le matin même, elle avait quitté la maison précipitamment sans prendre le soin de maquiller la petite cicatrice qui lui ombrait la lèvre supérieure. Malgré sa haute taille, elle dut lever le nez pour braquer ses yeux violets sur cet homme qui la dépassait facilement d'une tête.

Les bras croisés, il détaillait sans vergogne son corps aussi parfait que celui d'une statue dans son maillot de bain échancré à la brésilienne. Jasmine feignit de ne pas y prêter attention, mais sans qu'elle sût pourquoi, son cœur avait commencé à s'affoler.

— Pourtant, il semble difficile de ne pas vous remarquer. Vous avez surgi de l'eau comme une sirène.

Encore sous le choc, Jasmine remarqua sa bouche aux coins légèrement tombants et l'attrayante petite fossette à son menton. Tout en promenant le regard sur son torse superbe et sur ses jambes musclées, elle pensa qu'il évoluait avec aisance.

— C'est drôle, je croyais connaître la plupart des gens, dans la région, dit-il en manœuvrant le volant pour rectifier la direction.

Ils passèrent devant une petite île où d'épais massifs de bouleaux bordaient le rivage rocailleux.

— La maison de notre famille se trouve juste là-bas. Nous avons une vue imprenable sur le lac.

Il désigna du doigt un bout de terre où des quais surplombaient l'eau. Jasmine n'aperçut que des angles de toit et, de temps à autre, le reflet du soleil sur une vitre.

— Moi je ne vis pas ici. Je séjourne au village, annonça-t-elle.

— Vous êtes en vacances?

Cette remarque l'irrita car Jasmine n'appartenait pas à cette bande de touristes qui visitaient le Berkshire en été.

— Vous faites du ski nautique?

Quand elle lui répondit oui d'un signe de tête, il examina le lac : on n'y voyait pas beaucoup d'embarcations.

— Que diriez-vous d'un petit tour?

Bien qu'elle n'ait pas pratiqué ce sport depuis plusieurs années, Jasmine ne put résister à la tentation.

Une fois dans l'eau, la jeune femme se mit en position. Au fur et à mesure que le bateau prenait de la vitesse, son corps se soulevait. Elle plia doucement les genoux et éprouva des sensations qu'elle connaissait bien : la traction des bras, la souplesse des jambes. Sous la surveillance vigilante de l'homme à la crinière de feu, la skieuse glissait sur la surface du lac, coupant adroitement le sillage de l'eau, sentant la morsure du vent sur son corps ainsi que les embruns sur son visage.

Soudain, il braqua la barre et le moteur cala. Aussitôt, le câble se détendit, et Jasmine tomba dans l'eau pour esquiver les skis qui volaient en l'air. Elle refit surface en toussant.

Inquiet, l'étranger tira Jasmine dans le cockpit.

— Je vous prie de bien vouloir excuser cette

10

maladresse. Vous êtes fantastique. Vous prenez les tasses comme un vrai champion.

Au lieu de faire une remarque cassante sur ses capacités de pilote, elle resta muette devant les petites taches argentées constellant les iris de cet homme, les transformant en une mer turbulente sous les rayons de soleil. Un frisson la parcourut.

Jasmine ne sut pas très bien, quand elle se retrouva dans ses bras, si cet homme l'avait hypnotisée ou bien si c'était à cause du passage d'une vedette à proximité. Mais elle ne pouvait se méprendre sur ses mains brûlantes qui enflammaient sa chair.

Le charme fut rompu par le moteur qui cala une seconde fois. En murmurant une injure, il joua avec la série de boutons du tableau de bord.

– Je sors ce bateau pour la première fois. Il appartient à Dan Farrington, qui habite à Lenox. Vous le connaissez?

– Oui, répondit Jasmine, la gorge nouée.

Le visage blême, elle se retourna vers lui.

– Merci pour la promenade.

Elle sauta à la mer et fendit l'eau.

– Eh! Attendez.

Son cri la poursuivit jusque sur la plage. Les mains tremblantes, la jeune femme se sécha sommairement pour éviter de tremper la garniture intérieure de sa nouvelle Mustang jaune. Elle ramassa ses vêtements et se précipita vers son véhicule sans se retourner.

Elle resta assise sans bouger, les doigts appuyés sur les tempes, submergée par une déception incompréhensible.

« Dan Farrington qui habite à Lenox, vous le connaissez ? » Elle se mordit les lèvres et appuya sur l'accélérateur. Cet homme d'affaires influent avait forcé son père à quitter l'enseignement après son accident cardiaque en persuadant les membres du conseil de ne pas renouveler son contrat de professeur d'éducation physique en classes préparatoires. En fait, le neveu de Farrington attendait la place. Se pouvait-il que ce neveu soit l'homme aux cheveux flamboyants du bateau ?

Jasmine avait pris six semaines de congé pour venir aider son père. En effet, jongler seul, en pleine saison touristique, avec la boutique d'antiquités de sa mère, le magasin de sport et l'affaire de restauration de meubles anciens relevait de la pure folie. Lorsqu'elle lui avait annoncé son arrivée, Pops avait marmonné qu'elle avait sûrement besoin de vacances. En fait de vacances, sa table à dessin et son carton se trouvaient toujours dans le coffre de sa voiture.

Jasmine arrêta sa Mustang devant le Pays d'antan, une vieille demeure d'un étage au toit asymétrique. Un chemin de briques contournait une terrasse dallée qui s'étendait derrière la maison. Jasmine nota que la camionnette de son père n'était pas garée près de la grange. Il devait probablement travailler encore au magasin de Stockbridge.

Installée sur le petit sofa, dans l'embrasure de la fenêtre, elle dégustait lentement un yaourt tout en jetant un coup d'œil attendri sur la cuisine. Ses victoires aux tournois de tennis leur avaient permis d'agrandir cette pièce, sans pour autant en affecter le style. Les meubles en vieux pin, les paniers suspendus au plafond croulant sous les géraniums-lierres, les ustensiles en cuivre et en bronze accrochés aux murs, tout contribuait à donner à ce décor une note campagnarde chaleureuse. Jasmine aimait ce confort désuet.

Elle se rendit dans sa chambre pour se changer. Par la fenêtre, elle distinguait les lucarnes peintes en beige de *Robbin Roost*, une auberge de style colonial qui jouxtait la propriété.

« Une journée idéale pour une partie de tennis », pensa Jasmine en prenant son sac de sport, sans son enthousiasme habituel. Si seulement Cal n'avait pas autant insisté! Cet ami d'enfance agissait parfois comme une vraie nounou avec elle.

Cal Robbins arrivait dans l'allée au moment où Jasmine sortait de la maison.

Elle redécouvrit ses yeux rieurs, ses traits réguliers, ses cheveux sable ébouriffés par le vent. Malgré ce physique qui ressemblait à une peinture, elle ne lui trouvais pas plus de sensualité que les mannequins en carton-pâte des vitrines. Elle jeta son sac sur son vélo et dit en plaisantant :

– Quelques kilomètres à vélo t'aideront à perdre ta graisse superflue.

– Il faut incriminer mon chef cuisinier, répondit Cal en palpant sa taille empâtée. Il me fait une crise de nerfs si je ne goûte pas ses plats.

Elle mit son sac dans le panier de son vélo et ajouta avec un sourire :

– Ne compte pas sur moi pour plaindre les aubergistes. Ce sont les risques du métier.

– Femme cruelle, soupira Cal en lui faisant signe de passer devant lui.

« Comme d'habitude », songea-t-elle. Il la laissait toujours prendre les initiatives.

Sous le regard de Cal, Jasmine, qui s'apprêtait à présent à ouvrir le jeu, vivait un moment difficile.

– Tu serres trop ta raquette, lui cria Cal après une première tentative malheureuse. Détends-toi.

Jasmine fit la grimace et relâcha sa prise. Elle recommença le mouvement et réussit un superbe service. Après un long échange, un amorti de Cal obligea Jasmine à monter au filet, puis un coup droit de face la renvoya sur la ligne de fond.

Jasmine se concentrait et poussait des gémissements sous l'effort, déterminée à arracher la raquette des mains de son partenaire.

Soudain, une voix la perturba :

– Essayez d'avoir le poignet plus souple.

Jasmine rata son lancer. En pivotant sur elle-même, elle vit un homme de grande taille, aux cheveux roux, appuyé sur l'aile d'une voiture de sport, qui, les bras croisés, lui adressait un sourire amusé. C'était le neveu de Farrington, l'homme du lac!

Furieuse de son intervention et vexée de sa piètre performance, la joueuse ragea intérieurement. Non content d'avoir failli la tuer, voilà que ce sinistre individu réapparaissait pour la gratifier de ses conseils sur sa façon de jouer au tennis.

14

– Espèce de vieille fripouille! cria Cal. Je ne t'attendais pas si tôt.

Son ami traversa le court à grandes enjambées en affichant un de ses plus beaux sourires. Comment un être aussi gentil pouvait-il entretenir des rapports intimes avec ce personnage antipathique? L'apparition de « Poil de Carotte » lui fournit le prétexte d'interrompre la partie avant de perdre ce qui lui restait de sang-froid.

– Cal, je te prie de bien vouloir me pardonner, mais je ne vaux rien aujourd'hui. Je préfère rentrer.

– Attends! J'aimerais que tu...

Elle l'interrompit, jouant volontairement la méprise.

– Non, s'il te plaît. Nous terminerons le set une autre fois.

Jasmine se sentait trop nerveuse pour attendre les présentations d'usage. Sans laisser à Cal le temps de protester, elle s'enfuit sur son vélo.

Bloquée à un carrefour, elle jeta un coup d'œil sur l'auberge du *Lion Rouge* qui lui rappelait cet après-midi d'été où elle avait remporté la finale du tournoi des juniors. Tous les clients assis autour de la grande table blanche avaient levé leur verre de champagne pour porter un toast à Jasmine Storms, la future championne de l'État.

Son père lui avait servi d'entraîneur et lui avait appris le coup droit lifté, le revers à deux mains, ainsi qu'à monter au filet avec la même agressivité que les hommes. Elle avait battu tous les meilleurs joueurs de la côte Est avant d'entrer à l'université.

Pendant la première année, l'arrivée d'un nouveau directeur sportif sur le campus devait bouleverser sa carrière. Son air mélancolique et sa façon émouvante de parler de son récent divorce avaient attendri Jasmine, qui succomba sous le charme. Les rêves de victoires qu'il faisait miroiter à Jasmine grâce à leur association lui donnèrent le vertige. Elle promit de devenir joueuse professionnelle avant la dernière année de faculté. Ce fut le cadeau qu'elle déposa dans la corbeille de mariage.

L'impossibilité de légaliser leur union jeta un nuage sur leur lune de miel qui ne dura qu'un week-end. En effet, son mari devait retourner dans le Midle West pour attendre la décision du tribunal concernant la garde de son enfant. Il jura de revenir à Stockbridge au début de l'été.

Par une nuit d'orage du mois de juin, sa voiture dérapa sur une flaque d'huile et s'écrasa contre un arbre. Le choc la projeta contre le pare-brise, et elle s'en sortit avec la lèvre fendue et le bras droit broyé. A travers le brouillard des tranquillisants, elle discerna la voix de son mari qui chuchotait quelques mots au médecin. Ce dernier avait répondu :

– Aucun espoir. Son bras droit guérira peut-être, mais sa carrière s'arrête là.

Le temps qu'elle retrouve ses esprits, son mari avait disparu. Il lui donna de ses nouvelles par l'intermédiaire de ses avocats qui lui notifièrent l'annulation de leur mariage. Jasmine aurait pu se défendre, mais sa fierté l'en empêcha. C'est grâce à cette même fierté qu'elle décrocha son diplôme de décoratrice avec les félicitations du jury.

Depuis lors, elle se donnait corps et âme à son métier. A vingt-six ans, Jasmine Storms était déjà connue dans la profession pour son talent et ses idées originales. La société qui l'employait, l'une des plus importantes du Connecticut, avant donné son nom à une gamme de tissus et envisageait très prochainement de lui confier le poste de vice-présidente.

Ce succès extraordinaire prouvait à Jasmine qu'elle avait parcouru un long chemin depuis cet été douloureux. Mais ce n'était pas assez, à en juger par sa réaction d'aujourd'hui. Cette ancienne blessure faisait encore fondre la réserve glaciale qu'elle cultivait jusqu'à ce qu'elle lui devienne une seconde nature. Son père avait peut-être raison. Des vacances s'imposaient.

Jasmine trouva la vieille camionnette de celui qu'elle nommait Pops garée devant la grange. Il lui ouvrit la porte de la cuisine en souriant. Sa chemise bleu délavé et son jean tout aussi passé moulaient son corps bâti dans le roc et ses jambes démesurées. Quelques poils gris disséminés dans sa barbe soigneusement taillée contrastaient avec sa chevelure sombre. Il se tenait très droit et ce maintien trahissait un moral inébranlable dont Jasmine avait hérité.

— Tu rentres bien tôt... Tu as écrasé Cal en quelques sets?

— Nous n'avons pas joué longtemps. Mon entraînement, au lac, m'a épuisée.

Elle croisa le regard perplexe de son père qui se demanda pourquoi elle essayait de le duper, alors qu'il savait fort bien quelle nageuse infatigable elle était.

Étonnée de voir qu'il ne relevait pas, Jasmine se servit du thé glacé.

– Il y a eu un client, ce matin, au magasin. Tu te souviens de Laurent O'Brien? Non, tu ne l'as jamais vu.

Il continua, les yeux brillants :

– Quel athlète! Avant qu'il me quitte, pas un joueur ne lui résistait, de New York à Hawaii. Il revient pour l'Open du mois prochain et m'a demandé de l'entraîner.

Avec le sourire d'un père satisfait, Pops mima un service avec une raquette imaginaire.

Il fallut quelques secondes à Jasmine pour enregistrer le nom d'O'Brien. Laurent O'Brien! Elle n'avait jamais rencontré cet « enfant gâté du tennis », mais les rédacteurs sportifs en quête de scoop faisaient feu de ses prises de bec infantiles avec les juges de lignes et de ses histoires d'amour sans lendemain avec des actrices ou des mannequins.

– Que se passe-t-il? demanda son père, surpris par l'air dédaigneux de Jasmine.

– C'est un homme impossible, voilà ce qu'il y a.

– Doucement, dit son père en prenant appui sur le dossier d'une des chaises placées autour de la table en pin. Comment peux-tu émettre un jugement sur un homme sans le connaître?

– Sans le connaître? Mais le monde entier le

connaît! répliqua Jasmine d'un ton sarcastique. Tu ne te souviens pas du jour où il a jeté sa raquette sur une caméra de télévision parce qu'elle l'avait filmé en train de manquer un point, ou quand il a demandé à un officiel de décamper? Je regrette, papa, mais c'est toi qui m'as appris à bien me tenir sur un court.

Pops répondit sèchement :

— Tu parles d'une histoire ancienne. Laurent a gagné trop facilement et trop vite. Durant les années où je l'ai entraîné, j'ai fait tout mon possible pour l'empêcher de prendre la grosse tête, mais son père l'a toujours pourri.

Les sourcils froncés, Pops attrapa sa pipe et se tortilla sur sa chaise, agacé. Il reprit :

— J'aimerais croire qu'il a saisi ce que je voulais lui enseigner. Maintenant, Laurent a les pieds sur terre. Il te plairait sûrement.

— Peu importe, je ne le rencontrerai probablement jamais.

Son père tira tranquillement sur sa pipe. L'arôme du tabac lui chatouilla l'odorat puis s'évapora par la fenêtre.

— J'ai demandé à Laurent de passer après le repas.

— Parfait. Voilà qui va me donner l'occasion de...

Jasmine voulait dire « rattraper mon retard dans mon travail », mais elle préféra se taire.

Son père se leva.

— Je vais dans la remise retaper la commode que je viens de trouver.

Par la porte-fenêtre, Jasmine le regarda s'éloigner. Après tout, ce Laurent O'Brien pourrait apporter à Pops le tonus qui lui manquait. Aussi le recevrait-elle poliment, puis elle les laisserait évoquer leurs souvenirs et mettre au point leur programme d'entraînement.

Avant de se changer, Jasmine sortit son matériel de travail du coffre de sa Mustang et le porta dans sa chambre. Puis elle prit une douche et se frictionna le corps à l'eau de toilette.

Elle passa une robe en piqué blanc dont le haut très ajusté mettait sa poitrine en valeur. Ensuite, elle para ses oreilles de clips en émaux blancs. Pieds nus sur la moquette, elle dompta ses boucles folles devant la coiffeuse. Après un examen minutieux, la jeune femme décida de ne pas se maquiller. Cependant, elle appliqua une touche de fond de teint pour dissimuler sa cicatrice couleur topaze.

Jasmine donnait un dernier coup de chiffon sur l'évier quand la sonnette de la porte d'entrée retentit. Après avoir lancé un coup d'œil critique à la pièce, elle dissimula l'éponge derrière les robinets. Depuis que le magasin d'antiquités débordait dans les pièces de la maison, la cuisine faisait office de salle de séjour.

Laissant à son père le soin d'ouvrir, elle se précipita dans l'escalier pour aller se refaire une beauté. Tandis qu'elle prenait son mascara, l'affolement la gagna. Et si Laurent O'Brien s'imaginait qu'elle se maquillait spécialement pour lui?

N'avait-il pas une réputation de bourreau des cœurs? « Eh bien, qu'il aille au diable! » pesta-t-elle intérieurement. Elle termina de se faire les yeux, puis décrocha le téléphone sur sa table de nuit.

— Cal, aurais-tu quelques instants à m'accorder? J'aimerais que tu me donnes ton avis sur les premiers croquis, pour l'auberge.

Cal eut l'air surpris :

— Maintenant? Hum... Bien sûr. Mais je...

— Parfait, à tout de suite. Je te quitte, on sonne à la porte.

Décidément, elle passait son temps à lui couper la parole.

Résolue à accomplir son devoir de façon aussi brève que possible, Jasmine descendit l'escalier en courant.

2

– JE te prie de bien vouloir m'excuser, papa, mais je passais un coup de fil, annonça Jasmine en entrant dans la cuisine.

Installé sur le canapé qui se trouvait dans l'embrasure de la fenêtre, les jambes confortablement étendues devant lui, se tenait un homme de haute taille aux cheveux flamboyants. Il la regardait arriver, sans exprimer la moindre surprise.

Jasmine en eut le souffle coupé. Il ne pouvait s'agir de Laurent O'Brien puisque c'était le neveu de Dan Farrington. De plus en plus inquiète, elle ne bougea pas d'un pouce quand le grand « Poil de Carotte » du hors-bord déplia son corps élancé avec la grâce d'un félin. Son pantalon excessivement bien coupé dessinait ses cuisses musclées. Sur la poche de son polo, elle reconnut la balle de tennis brodée dans les initiales L.O.B., le symbole de la ligne des vêtements de sport pour hommes qui portait son nom. Comme sur le bateau, la puissance virile qui se dégageait de lui la fit chanceler.

— Jasmine, te voilà. Je te présente Laurent O'Brien.

— Nous nous connaissons déjà, répondit-elle évasivement.

Pops fronça les sourcils.

— Pourquoi ne m'en as-tu pas parlé?

— Nous n'avons jamais été présentés dans les règles, expliqua Laurent.

La bouche charnue de Laurent O'Brien esquissait un rictus insolent. Ses yeux de connaisseur s'attardèrent sur sa poitrine qui tendait le piqué de coton et glissèrent lentement sur ses longues jambes dorées par le soleil. Une fois cet inventaire terminé, il prit la main glacée de Jasmine dans la sienne de façon possessive. Elle le repoussa.

Sans prêter attention à ce geste, il expliqua :

— En fait, une collision nous a offert l'occasion d'un premier contact.

— Pas exactement.

Jasmine se décida à relever le défi qui se cachait sous sa gaieté impudente. Elle fit un effort pour garder une voix neutre.

— Ce n'est certainement pas grâce à vous que nous avons évité une catastrophe car si je n'avais pas plongé à temps sous l'eau, l'hélice de votre moteur m'aurait décapitée. Vous l'avez vous-même reconnu.

— Que s'est-il passé? demanda Pops, l'œil perçant.

Devant son inquiétude, Jasmine s'empressa de répondre :

— Rien de grave. Tout va bien maintenant.

Elle s'assit et se mit à feuilleter un magazine.

— Pas tout à fait, rectifia Laurent qui avait perdu son sourire. Je pilotais le hors-bord de Farrington, beaucoup trop vite je l'avoue, et j'ai failli ne pas voir Jasmine qui nageait. J'ai eu tout juste le temps de l'éviter. Vous savez bien que je fais toujours tout avec précipitation.

Pops approuva d'un signe de tête.

— Et ton impatience t'a toujours porté préjudice.

Il secoua la tête puis ajouta :

— Mais tu revois Diana, si tu parles du bateau de Farrington ? Je croyais que tu logeais chez Cal.

— En effet.

Jasmine leva les yeux de son exemplaire de *Art et Décoration*. Elle avait oublié le battage publicitaire autour du mariage et du divorce de Laurent O'Brien et de Diana Farrington. Jasmine était trop jeune et pas assez riche pour fréquenter le groupe d'amis de Diana.

Jasmine se demanda si, comme à elle, ce mariage raté laisssait à Laurent une sensation d'échec personnel.

En l'écoutant parler, elle songea que sa voix cadrait mal avec cet homme célèbre pour sa conduite envers les femmes.

— Diana s'ennuie tellement... La plupart de ses amis sont mariés ou partis. Dès qu'elle a appris mon arrivée, elle m'a invité à passer la voir.

— On dirait plutôt que Diana aimerait partager ton étoile au firmament du tennis, précisa Pops d'un ton sec.

Laurent se crispa.

— Oubliez cela, Pops. Elle a toujours détesté la vie des tournois. Pourquoi la trouverait-elle à son goût, aujourd'hui?

— A l'époque, tu ne gagnais pas autant.

— En parlant de prix, si je veux remporter celui de l'Open, j'ai besoin de m'entraîner sérieusement avec Cal et vous.

Soudain, en trois enjambées, il s'approcha de Jasmine, résolu à dire ce qu'il avait sur le cœur.

— Pourquoi nous avez-vous fuis, Cal et moi? La fille de Pops devrait connaître son savoir-vivre.

Interloquée par cette agression, Jasmine leva le menton avec mépris.

— Vous avez le toupet de parler de politesse!

— Expliquez-vous!

— Les règles du tennis ne stipulent pas d'interrompre un joueur qui s'apprête à servir.

— Oubliez cela, voulez-vous? Croyez-moi, je ne voulais pas vous critiquer, bien au contraire. J'appartiens au monde du vrai tennis et quand on en arrive à ce niveau, Jasmine, on a envie d'aider n'importe quel joueur à améliorer sa technique.

Jasmine admit qu'il ne se vantait pas mais qu'il se contentait d'exposer son point de vue.

— Mon fils... intervint Pops, tu oublies que Jas...

Jasmine interrompit son père par un sourire éclatant empli de fermeté.

— Mon père m'a appris tout ce qu'il savait du tennis.

Impulsivement, elle lui planta un petit baiser sur la joue.

26

– Je peux en avoir un, moi aussi ?

Cal Robbins venait de pointer son nez à la porte de la cuisine. Il serra la main de Pops et donna une claque dans le dos de Laurent.

Jasmine répondit en souriant :

– Tu n'en auras peut-être plus envie en découvrant mes croquis pour ta ravissante auberge.

– Cela t'ennuie si nous mettons d'abord au point le programme d'entraînement de Laurent ? Il ne reste que quatre semaines avant l'Open.

Cal sortit un agenda de la poche de son cardigan. Jasmine eut un geste ironique de soumission.

– Visiblement, je n'ai pas le choix, soupira-t-elle en se retirant au premier étage.

Quand elle réapparut dans la cuisine, Cal abandonna sa revue et demanda à Jasmine :

– Tu veux t'asseoir ? Les deux autres sont partis dans une discussion sur les risques qu'il y a à utiliser une nouvelle raquette.

Avec grâce, Jasmine plongea sur un coussin et replia ses jambes sous elle. Elle vit le coup d'œil que Laurent lui lança.

– Autant changer de cheval en pleine course.

– Ton père désapprouve cette idée. Si une nouvelle raquette doit lui faire perdre quelques matchs...

Cal pointa son pouce vers le sol, puis il prit Jasmine par l'épaule.

– Tu es très en beauté, ce soir.

Habituellement, la banalité des compliments de Cal l'amusait, mais maintenant, la jeune femme aurait voulu qu'il ôte son bras. Elle fit tout son possible pour ne pas lorgner en direction de la table. Cal reprit :

— Dès que tu me donneras une estimation des frais à engager, je les transmettrai aux propriétaires.

Cal appelait toujours son père et sa mère « les propriétaires ».

— Quand rentrent tes parents ?

— Dieu seul le sait.

— Laisse-moi une semaine pour m'organiser dans mon travail, puis nous nous y mettrons, répondit Jasmine d'une voix absente.

Laurent captait toute son attention. Il parlait avec ferveur :

— Je vous rémunérerai pour le temps que vous me consacrerez. Il n'y a que vous pour déceler les faiblesses de mon jeu et les corriger.

Pops prit un air buté et marmonna entre ses dents.

— Très bien, tout est arrangé, conclut Laurent en serrant la main du vieil homme.

Jasmine se leva vivement et demanda :

— Quelqu'un veut du café ? Ou encore une bière fraîche ?

— Et si nous allions à *La Taverne du Lion* ? suggéra Laurent.

— Partez devant, répondit Pops en allumant le poste de télévision.

— Bière pour tout le monde ? demanda une serveuse.

Laurent regarda Jasmine et Cal, puis il fit un signe de tête affirmatif.

28

– Laurent! Je ne m'attendais pas à te rencontrer ici, claironna une voix féminine.

Quelqu'un heurta sa chaise violemment contre celle de Jasmine. Elle fit volte-face, quelque peu exaspérée. Une femme blonde se retourna sur Laurent.

– Bonjour, Diana, dit-il d'une voix détachée.

L'une des femmes les plus riches et les plus élégantes du comté de Berkshire, Diana Farrington paraissait encore plus belle que sur les photos de classe. Ses cheveux blond clair retombaient en vagues souples sur ses épaules et son pull en coton rose orné d'un col blanc rehaussait ses traits aussi délicats que ceux d'une poupée de porcelaine.

Le sourire de Jasmine se figea quand elle comprit que Diana la snobait délibérément.

– Pourquoi ne m'as-tu pas dit que tu viendrais ici? demanda Diana, légèrement irritée.

Elle dissimula son dépit derrière un dédain glacial en regardant Jasmine.

Laurent haussa les épaules et dit d'un ton dégagé :

– Je suppose que vous vous connaissez déjà. Jasmine Storms, Diana Farrington.

– Seigneur! Jasmine Storms! Je ne t'aurais pas reconnue. Je me souvenais de toi comme d'une grande perche. Quelle coïncidence de se retrouver tous ici, ce soir!

Diana adressa un sourire mielleux à Cal, qui lui offrit une cigarette. Incapable de cacher son impatience devant le peu d'intérêt que Laurent lui accordait, elle lui posa la main sur le bras.

– Je suis allée au théâtre avec papa, ce soir, et j'ai rencontré ces personnes qui m'accompagnent. Je leur ai donné rendez-vous ici et j'ai déposé papa à la maison.

– Nous ne voudrions pas t'accaparer, dit Laurent d'une voix moqueuse.

Il fit signe à la serveuse de leur servir une autre tournée.

– Ils s'en moquent, rétorqua Diana avec insouciance. En outre, je préfère votre compagnie.

Elle se retourna pour échanger quelques mots avec ses amis et prit son verre de whisky resté sur la table.

– Tu ne m'as pas beaucoup parlé de tes projets, à midi. Quand t'installes-tu dans la maison du lac?

Jasmine posa sa chope de bière et regarda Cal.

– Je croyais qu'il logeait chez toi.

– Pour un mois, seulement. La mère de Laurent possède une villa au bord de l'eau, un endroit charmant. Toute sa famille vient y passer le mois d'août.

Cal lui envoya son sourire le plus éclatant, et ajouta:

– Te laisser affronter ce bourreau des cœurs pendant plusieurs semaines me semble un sacrifice suffisamment pénible pour un ami.

– L'ami n'a pas de soucis à se faire.

Affalé dans un fauteuil, Laurent affichait une expression de lassitude polie.

– ... villa si près de Lenox. Nous aurons l'occasion de nous voir souvent.

Laurent tenta d'expliquer :

— Diana! Je dois m'entraîner pour l'Open et je crains de ne pas disposer de beaucoup de loisirs.

Cal l'interrompit avec curiosité :

— Qui donne les cours pendant ton absence à Ponterery?

— Mon assistant. Mais je dois quand même y aller une fois par semaine.

— Ponterery? renchérit Jasmine qui se souvenait du vieux club élégant, sur la plage du Connecticut.

— Le club de tennis et de sports aquatiques de Ponterery, précisa Cal. Laurent fait partie de leurs membres professionnels.

— Il s'agit de l'un des centres sportifs les plus huppés de la côte Est, intervint Diana qui, pour la première fois, donnait l'impression de vouloir impressionner Jasmine.

Celle-ci trouva inutile de saisir l'occasion pour révéler que ses tournois de tennis lui avaient donné l'occasion de passer des vacances dans un lieu aussi prestigieux. Elle rétorqua :

— Je ne crois pas qu'il soit du même niveau que, disons, le Hilton Head ou Boca Raton.

Elle vit briller dans les yeux de Laurent une lueur amusée.

Agacée, Diana changea de conversation :

— Ainsi, Laurent, tu vas t'entraîner avec le vieux Storms. Pauvre homme! J'espère que tu le paies en conséquence.

Pas un instant Jasmine n'avait imaginé que son père puisse recevoir de l'argent pour faire ce qu'il aimait le plus au monde, entraîner ; raison de plus s'il s'agissait de Laurent.

Son intérêt pour le joueur redoubla et elle essaya de le voir avec les yeux de son père. Il avait peut-être vraiment changé. En tout cas, il ne paraissait pas irrité de l'immixtion de Diana dans ses affaires.

Cette dernière choisit un autre thème de discussion :

– Je ne crois pas dévoiler un secret en disant que la nouvelle délimitation des terres va affecter Pops.

– Quelle délimitation des terres ? s'enquit Jasmine dont le regard passait de l'un à l'autre.

Tranquillement, Cal lui expliqua :

– La plupart des terres bordant la route où habite ton père ont été redélimitées à des fins commerciales, rien de plus.

Soudain, ce « rien de plus » lui parut suspect.

Ses amis souhaitant partir, Diana concentra son attention sur Laurent et dit avec une moue de déception :

– Il faut que je te quitte, à moins que...

Elle glissa un coup d'œil vers son verre, attendant une invitation. Laurent le lui prit des mains et le posa sur la table avec fermeté.

– Tu peux le laisser ici.

– On se voit demain au golf ?

– Je m'entraîne toute la journée.

Elle le taquina :

– Le tennis a donc plus d'importance que tes amis ?

32

La réaction puérile de Diana étonna Jasmine.

— Tu attends de moi de l'amitié ou bien autre chose? demanda Laurent, ses yeux bleus étincelant de colère. Je croyais avoir été clair. Pour les semaines à venir, ma vie sociale va se réduire à zéro. N'insiste pas.

Devant le regard interloqué de Diana, il poussa un soupir et ajouta d'une voix adoucie :

— Attendons de voir comment les choses s'organisent, avant de fixer un rendez-vous, d'accord?

Diana se leva, livide, et courut rejoindre ses amis. En haut de l'escalier, elle se retourna pour le regarder mais, trébuchant, elle tomba sur les genoux.

Laurent se précipita à son secours.

— Nous ferions mieux d'attendre ici, dit Cal à Jasmine qui se rassit.

Il les rejoignit pour s'excuser avec un sourire attendri :

— Diana s'est tordu la cheville. Ses amis lui ont offert de la raccompagner, mais elle préfère que je m'en charge. Autrefois, cette technique avait bien marché. Jasmine, ce fut un plaisir...

Il lui lança un regard pesant.

— Je vais payer au bar, annonça Cal en se levant.

Avant de partir, Laurent prit la main de Jasmine et sa voix se transforma en caresse :

— Nous nous reverrons bientôt, mais sans Cal.

Jasmine n'avait pas jugé utile de répondre, croyant son silence suffisant. Elle songea : « Cette perspective me plairait énormément. »

3

– Tu avais tort en disant que Laurent avait changé.

Assise sur le canapé, Jasmine avait ramassé ses jambes sous elle. Elle posa la cafetière sur le guéridon avec maladresse. Le simple fait de prononcer ce prénom la rendait nerveuse.

Surpris, son père leva les yeux de son assiette garnie de saucisses et d'œufs brouillés.

– Pourquoi cela ?

– A *La Taverne du Lion*, Diana Farrington nous a rejoints. Elle n'a pas arrêté de harceler Laurent pour qu'il vienne la voir.

– Et Laurent lui a fixé rendez-vous ? s'enquit Pops, amusé.

– A peu près.

– Voyons ! Ne crois-tu pas que Diana le souhaitait ? Parfois, Laurent sait se montrer courtois, comme aujourd'hui, mais ce n'est pas un saint.

– Je l'admets. Il n'a rien d'un saint et Diana l'a provoqué. D'accord.

Le sourire insolent de Jasmine signifiait qu'elle ne voulait pas poursuivre cette conversation.

– Diana a parlé d'une redélimitatton de tes terres? C'est vrai, Pops?

Il soupira :

– J'en ai peur. Il fallait s'y attendre après l'élargissement de la route et l'implantation d'une petite industrie. Mais l'augmentation des impôts que cela va entraîner m'inquiète beaucoup.

– Pourquoi ne vends-tu pas quelques parcelles? suggéra Jasmine.

– Dan Farrington m'a offert cent dix mille dollars pour les quatre hectares de terrain, le magasin, la maison et les vignes.

– Tu plaisantes! s'écria sa fille, stupéfaite. Ne me dis pas qu'il a l'intention de s'approprier notre Pays d'antan?

Farrington vivait avec sa fille dans un manoir de style colonial, à Lenox. Il avait fait fortune avec la franchise de ses restaurants de fast-food.

– Mais si! répliqua son père. Farrington veut abattre la demeure et la grange pour construire à la place une galerie de peinture et une boutique de produits artisanaux. Il prétend vouloir encourager les artistes et les artisans de la région, mais pour ma part, je crois plutôt que cela deviendra une vitrine d'exposition pour les prétendues « toiles » de Diana. Il a également l'intention d'ouvrir un autre de ses restaurants, mais avec un décor de ferme.

Malgré l'intonation railleuse de Pops, Jasmine lisait l'inquiétude dans ses yeux. Il poursuivit :

– J'ai longtemps réfléchi à sa proposition. Cela représente beaucoup d'argent, mais je ne peux me résoudre à vendre la maison où ta mère a vu le jour.

– Ne le fais pas, dans ce cas.

– Cal s'intéresse lui aussi à nous.

– Mais encore?

Son père expliqua d'un air gêné:

– Ses parents parlent de prendre une retraite anticipée. Il veut agrandir son hectare et demi avec une partie de mon terrain afin de pouvoir faire construire une piscine géante pour ses clients. Tu pourrais l'aider à diriger l'auberge. Je sais, je sais...

Il agita la main, ajoutant:

– J'ignore pourquoi, mais il pense que tu abandonnerais ta carrière pour cela.

– Je trouve étrange qu'il ne m'en ait jamais parlé. Combien Cal t'a-t-il offert?

– Actuellement, il ne peut rien me proposer sans l'accord de ses parents. Quand il a eu vent des projets de Farrington, il a tout de suite pensé au préjudice que pourrait lui causer un fast-food à proximité de son restaurant.

Jasmine tourna son regard vers la fenêtre pour dissimuler son anxiété. Soudain, elle fit volte-face.

– Tout ceci ne peut pas attendre l'automne?

– Farrington s'acharne comme un beau diable pour avoir ma propriété maintenant.

Son père repoussa nerveusement sa chaise.

– Dan et sa fille briguent en permanence la propriété d'autrui... tant qu'ils peuvent en tirer un bénéfice. Tu te souviens, au bout d'un an de mariage, Diana s'est lassée de la vie des tournois

37

et elle a tout planté là pour partir seule pour l'Europe.

— Pourquoi se sont-ils mariés? demanda Jasmine. Cette union n'avait aucun sens.

— L'été où Laurent est devenu professionnel, la presse ne le lâchait pas d'une semelle, espérant qu'il finirait par perdre sa maîtrise de soi. Je me demande comment Laurent aurait pu garder ses esprits avec toutes ces filles qui lui couraient après, cet été-là, Diana comprise. Elle avait réfléchi à la façon dont elle pourrait lui mettre le grappin dessus la première. Tel père, telle fille. Farrington sait parfaitement ce que j'éprouve pour cet endroit.

Sa voix se brisa :

— Voilà pourquoi il veut tout raser, de sorte que personne ne puisse en profiter.

Ne sachant que dire, Jasmine lui déposa un baiser sur la joue.

Avec l'intention de travailler un peu avant le déjeuner, la jeune femme partit s'installer devant sa table à dessin et sortit une palette de couleurs. Elle essaya alors de visualiser ses nouvelles créations pour des tissus d'ameublement.

En vain. Ne parvenant pas à se concentrer, elle se dirigea vers la porte-fenêtre qu'elle ouvrit en grand. Comment cet homme indépendant qu'était Laurent avait-il pu se laisser piéger par Diana? Ce n'était probablement pas trop difficile à imaginer, songea-t-elle avec amertume. Les tournées de tennis coûtaient beaucoup d'argent, sûrement plus qu'il n'en gagnait à l'époque.

– Jasmine? Peux-tu m'accorder un instant?

La voix de son père résonna dans la cage d'escalier. Il était rentré plus tôt que de coutume pour poncer une commode en pin. Ensemble, ils la portèrent dans la grange. Tout en aidant son père à déposer le meuble dans un endroit éclairé, la jeune femme aperçut dans l'obscurité une chaise recouverte d'un drap. Elle reconnut la forme sans accoudoir et les pieds qui ressemblaient à des pattes velues. C'était le siège préféré de sa mère, celui où son père s'asseyait pour attiser le feu, les soirs d'hiver. Le cacher ici lui parut curieux et cela prouvait que son père n'avait pas encore surmonté son chagrin. Jasmine ne fit aucun commentaire.

Des pas crissèrent sur le gravier et détournèrent le fil de ses pensées.

– Je vais me débarrasser de cet intrus.

La sonnette de la porte d'entrée retentit au moment où elle arrivait dans la cuisine. Elle essuya ses mains poussiéreuses à un torchon, puis courut dans le couloir pour ouvrir.

– Bonjour!

Vêtue d'une robe de coton blanc, Diana attendait sur le perron. Ses cheveux d'un blond angélique retombaient sur ses épaules nues. Au sourire méprisant qui se dessinait sur ses lèvres de corail, Jasmine prit conscience de sa tenue débraillée.

Le souffle lui manqua lorsqu'elle vit Laurent apparaître derrière elle. Son maillot de bain mettait en valeur ses hanches étroites et les pans de sa chemise volaient autour de sa taille, comme s'il venait de l'enfiler.

Avançant à petits pas furtifs, Diana scruta avec curiosité toutes les pièces qui donnaient sur le couloir.

— Laurent souhaite acheter un cadeau d'anniversaire pour sa mère. Il voulait passer plus tard, mais j'ai insisté pour venir maintenant, tant que tu n'as pas trop de monde. J'ai pensé que tu ne verrais pas d'inconvénient à ouvrir le magasin plus tôt pour une amie.

— Jasmine se montre très polie, intervint Laurent, gêné, mais elle n'est visiblement pas prête à recevoir des clients.

Diana éclata d'un rire espiègle.

— Viens, Laurent. Nous ne dérangeons pas et tu as besoin de mon aide.

Maîtrisant sa colère, Jasmine les laissa passer. D'une voix qu'elle espérait appropriée, elle demanda :

— Vous cherchez un objet en particulier ? Quels sont les goûts de votre mère ?

— Son buffet regorge d'assiettes et de saladiers Staffordshire, tous noir et blanc.

Laurent traînait dans le magasin, examinant avec précaution tout ce qui l'entourait. Avec ses larges épaules et ses cuisses bronzées à peine dissimulées sous son maillot de bain, il ressemblait à un éléphant dans un magasin de porcelaine..., un éléphant terriblement viril. Jasmine ne put réprimer un sourire.

— Par ici, Laurent !

40

Triomphante, Diana désignait du doigt une petite soupière.

— Ta mère adorerait cette pièce pour sa collection.

— C'est de la terre de fer, précisa Jasmine après y avoir jeté un rapide coup d'œil.

— Oui, mais c'est noir et blanc, insista Diana.

— Elle pèse beaucoup plus lourd que les Staffordshire. Si tu ne me crois pas, lis l'inscription gravée dessous.

Les traits tendus, Diana retourna la soupière.

— Écoute l'expert, dit Laurent en la taquinant.

Il ne cachait pas son admiration pour Jasmine qui, sans savoir pourquoi, appréciait son soutien. Elle sortit un plat ovale orné d'un liséré gris et noir.

— Je le prends, dit Laurent après l'avoir examiné. Ce truc ira très bien dans sa collection.

Il suivit Jasmine jusqu'au comptoir. Le terme désinvolte qu'il avait employé pour qualifier un plat ancien aussi onéreux la fit sourire.

— Tu as tout réglé, Laurent ? demanda Diana. Je t'emmène déjeuner à la maison. Papa nous attend.

Laurent la regarda, l'œil sombre.

— Diana, tu sais bien que je n'ai pas le temps, cet après-midi.

— Même pas pour te nourrir ? Il faut que tu prennes des forces pour courir après ces petites balles.

— Ces petites balles représentent plus pour moi, que... qu'un repas.

Jasmine encaissa le chèque. Tout comme Diana, elle savait qu'il avait failli dire : « toi ».

Avec un rire crispé, Diana ajouta :

— Une autre fois, si elle peut se le permettre, Jasmine pourra se joindre à nous. A plus tard.

Le bruit mat de la porte qui se referme... et puis Jasmine poussa un long soupir, cherchant à croiser le regard de Laurent qui murmura entre ses dents :

— Elle mérite une bonne fessée.

— Ne la traitez pas trop durement, répondit Jasmine. Personne n'apprécie d'être rabaissé, surtout devant témoin.

Laurent avait l'air sincèrement stupéfait. Il n'était pas seulement beau, il était tout simplement superbe.

— Jasmine !

Il lui prit les mains.

— Autrefois, nous avons été mariés, Diana et moi, et elle m'a laissé tomber. Maintenant que je tente le grand schelem, autrement dit si je gagne l'Open du Berskhire (il eut un sourire désabusé), elle s'imagine pouvoir me reprendre.

Jasmine crut déceler une note d'arrogance dans son attitude et essaya de dégager ses mains. Il insista :

— Non, je vous en prie, ne me rejetez pas. Je ne dis pas cela par esprit de vanité, mais comme je le ressens.

Frissonnant encore du contact de sa peau, elle retira ses doigts et dit brusquement :

— Vous n'avez pas besoin de vous justifier. Tout ceci ne me regarde pas.

Elle lui tendit le paquet et ajouta en le raccompagnant :

– J'espère que votre mère appréciera son cadeau.

– Pourquoi vous montrez-vous soudain si guindée? demanda Laurent, la main sur la poignée de porte. Mes propos vous ont choquée? Ou, pire encore, mes histoires avec Diana vous ennuient-elles?

Quand les doigts de Laurent essayèrent de lui caresser les tempes, une sensation de chaleur l'envahit, et sans réfléchir, Jasmine posa la main sur la sienne.

– Acceptez de passer un moment avec moi, la pria-t-il, les yeux brûlant d'un feu ardent. Je promets de ne plus vous importuner avec mes problèmes.

Puis, avec souplesse, il sauta les marches du perron.

Jasmine n'avait jamais vu un homme aussi séduisant et aussi troublant.

L'esprit en ébullition, elle monta prendre une douche et s'habiller. Dans la glace elle s'examina d'un œil critique en appliquant son fond de teint. Sous le maquillage, son bronzage accentuait les reflets topaze de sa petite cicatrice. Le souvenir indélébile de sa carrière sportive manquée.

Tandis qu'elle préparait le repas, Jasmine crut voir quelqu'un bouger sur la terrasse.

– Laurent!

Il était assis, dos à la maison, et entendit sa voix. Avec une signe nonchalant de la main, il se leva de la chaise en séquoia et poussa la porte.

– Je vous attendais.

Il paraissait plus grand que jamais. Ses traits volontaires se détachaient nettement dans l'obscurité de la pièce. « Ce doit être son short blanc qui lui moule les cuisses et attire mon attention, songea Jasmine. Ou bien sa chemise noire qui lui colle à la peau. » Laurent s'approcha d'elle.

– Jasmine, je tenais à vous voir avant d'aller à l'entraînement. Vous m'avez dit que mes affaires avec Diana ne vous regardaient pas.

– Effectivement, répondit Jasmine en piquant son fard.

Il lui prit le menton, forçant ses yeux à rencontrer les siens. Sous la pression de ses doigts, la jeune femme sentit son cœur battre à tout rompre.

– J'attache beaucoup d'importance au fait que vous compreniez. Je n'avais pas prévu de voir Diana ce matin. Elle a débarqué chez les Roost, mourant d'ennui comme toujours, dans l'espoir que je la divertirais. Aussi, quand elle a suggéré de venir à votre magasin, j'ai sauté sur l'occasion, pour ne pas rester seul avec elle et... pour avoir la possibilité de vous revoir.

Jasmine repoussa sa main pour s'éloigner de la chaleur que provoquait ce contact. Juste au moment où elle commençait à éprouver de la sympathie pour lui, il se conduisait comme le jeune impertinent de ses souvenirs.

Un instant il scruta son visage cramoisi, puis son expression se radoucit :

– Comment vous expliquer ? continua Laurent.

L'été où je suis passé professionnel, j'avais pris la grosse tête.

Il s'étrangla de rire.

— Les sponsors, les promoteurs, les fabriquants d'équipement, tout le monde me poursuivait pour me faire signer un contrat. Alors, quand Diana a juré ses grands dieux qu'elle était venue de Berrington pour m'épouser, pourquoi ne l'aurais-je pas crue elle aussi ? Son physique, sa renommée auprès de la presse, sa détermination à vouloir sacrifier ses études pour devenir ma femme ont eu raison de moi.

Jasmine l'écoutait sans broncher. Il disait la vérité en décrivant le cirque organisé autour d'un joueur professionnel. C'était si facile de se laisser séduire...

Il exprimait tout haut ce qu'elle pensait tout bas :

— Si j'avais pris la peine de réfléchir, j'aurais compris que Diana se lasserait après deux ans passés à Berrington. Quand je rentrais, je lisais dans ses yeux une lueur de déception. Aucun de nous deux n'a tenté de sauver notre mariage et aujourd'hui je crois même que si nous avions essayé de faire des efforts dans ce sens, nous aurions échoué.

— Diana ne semble pas partager votre avis, dit Jasmine.

Après un haussement d'épaules, Laurent demanda :

— Pourquoi une femme aussi jolie que vous n'at-elle pas de mari ?

Elle se leva et lui tourna le dos, essayant de rassembler ses idées. Puis, avec un sourire crispé, elle répondit :

— Je suis moi aussi divorcée.

Laurent eut l'air surpris. Pops ne lui en avait jamais parlé.

Après avoir raconté brièvement et sans émotion sa rencontre avec l'entraîneur du campus, Jasmine reconnut :

— Je me croyais trop maligne pour me tromper. Mais avec lui, je me prenais presque pour une nouvelle Martina Navratilova.

— Que s'est-il passé ensuite ?

— La routine... Quand mon tennis a tourné à l'échec, mon mariage a suivi.

Elle s'efforçait de garder une voix neutre, craignant qu'il ne lui demande des détails. Mais Laurent n'insista pas.

Avec désinvolture, comme si toute cette histoire n'avait aucune importance, elle s'assit sur le canapé et regarda par la fenêtre où une brise légère agitait les feuilles des bouleaux, autour de la terrasse.

— Voilà pourquoi je me donne à fond à mes créations de tissu. Vous voyez, nos histoires ne se ressemblent pas.

Sans fausse humilité, Laurent approuva avec un sourire :

— C'est juste. J'ai mis au point un plan de carrière avant de décrocher mon diplôme de conseiller en affaires. D'abord, réussir mon examen. Ensuite me consacrer à la compétition jusqu'à trente-cinq ans. Il ne me reste plus que cinq ans avant de me lancer dans les affaires.

– Vous paraissez bien sûr de vous.

Il se leva brusquement et fit les cent pas dans la cuisine. Puis il se retourna et la regarda de ses yeux étincelants :

– J'ai investi mes gains dans une ligne de vêtements de sport que je surveille étroitement et qui représente une réussite financière. Ajoutez à cela qu'un nom aussi célèbre que le mien m'ouvrira les portes des banques. Ces deux facteurs me permettent de ne pas douter de moi. J'ai besoin de quelques années supplémentaires pour parvenir au sommet. Pendant ce temps, je continuerai à travailler au club du Connecticut. Voilà comment je vois la situation, Jasmine. La vie a encore beaucoup de choses à m'offrir et je tiens à en profiter aussi longtemps que possible.

L'espace d'une seconde, elle sentit son cœur lui déchirer la poitrine.

– Qu'y a-t-il ? Je vous choque encore une fois ?

L'exubérance de Laurent disparut quand il devina qu'elle se rétractait.

– C'est difficile de discuter d'un plan de carrière bâti avec autant d'obstination autour du succès.

– Vous avez des remords, de votre côté ?

– Sûrement pas. Pourquoi le devrais-je ?

– Et si vous essayiez de m'en parler ?

Le petit canapé craqua sous le poids de Laurent qui s'assit à son côté. Il lut la détresse dans ses yeux.

– Ce n'est pas mon projet bâti sur la réussite qui vous gêne. Mais...

Il hésita avant d'ajouter :

– L'obstination, comme vous l'avez dit. Voilà ce que vous regrettez.

Il prit la main glacée de Jasmine, qui, plus mal à l'aise que jamais, espérait ne pas lui laisser deviner combien elle aurait donné pour posséder son obstination.

En libérant ses mains, elle réussit à articuler :

– Tout ceci explique simplement pourquoi il n'y a pas de place dans votre vie pour une relation personnelle.

Il esquissa un léger sourire et fit glisser son doigt sur l'arête de son nez.

– Vous vous trompez complètement.

Elle voulut se lever, mais Laurent l'en empêcha.

Ses bras l'enlacèrent, pressant sa poitrine pleine contre les muscles fermes de son torse. Tandis qu'elle essayait de reprendre sa respiration, l'odeur de cette peau où perlait la sueur stimula ses sens beaucoup plus que la senteur de son eau de toilette. Ses lèvres brûlantes et humides captèrent les siennes, et, le souffle coupé, ils sombrèrent dans les sables mouvants des délices. Jasmine battit lascivement des paupières et ses mains se nouèrent autour du cou chaud et moite de Laurent. Elle caressa sa peau et emmêla ses doigts dans ses cheveux fournis. Les yeux brillant d'un bleu plus intense que jamais, il la regarda avec un bonheur non dissimulé.

– Jasmine..., chuchota-t-il.

Il enlaça sa taille et caressa les boucles luisantes comme des châtaignes. Sans avoir conscience de l'invite innocente qu'exprimaient ses yeux violets, Jasmine baissa les paupières, délicieusement étourdie. Il lui fallait mettre un terme à cette situation pour le moins inattendue. Elle perdit pied quand ses baisers tombèrent en pluie sur ses joues et son cou, ainsi que dans la vallée parfumée et chaude de sa poitrine.

Elle avait l'impression d'avoir perdu le contrôle d'elle-même et, sans y prêter attention, Jasmine souhaita que ce torrent ne se tarisse jamais. Lorsque Laurent s'interrompit, elle rouvrit les yeux.

De l'index, Laurent dessina le contour de ses lèvres, s'arrêtant au coin de sa bouche. Sans lui laisser le temps de réagir, il déposa un baiser sur sa petite cicatrice.

– J'en avais déjà envie sur le bateau, dit-il d'une voix grave.

Soudain, la jeune femme reprit ses esprits. Elle croyait Laurent sincère, mais toute allusion à cet accident de voiture qui avait brisé sa carrière de sportive la bouleversait. Elle se leva, chancelante, pour se dérober au contact de ses mains, et traversa la pièce d'une démarche incertaine.

Il la rattrapa près de la porte et la saisit par les épaules. Elle se débattit pour se libérer, mais ses efforts ne réussirent qu'à resserrer davantage son étreinte.

Sentant son souffle haletant sur ses joues, Jasmine leva sur lui des yeux étonnés. Les doigts de Laurent coururent le long de son cou, puis après avoir marqué un temps d'hésitation, et brûlant de désir, il attira à lui son corps en touchant son pouls qui battait à tout rompre. Lentement, sa bouche prit possession de la sienne pour savourer le goût de ses lèvres. Prise de vertige, Jasmine s'accrocha à lui, les paumes contre son large torse, comme pour garder un semblant de distance entre eux. Même si elle le voulait, elle n'aurait su comment interrompre ses baisers. Tout à coup, il se recula en poussant un gémissement et serra les poings d'une façon plus éloquente que les mots. Il lui déclara :

— Vous avez bien trop d'importance pour moi et je ne veux rien précipiter.

Il posa tendrement la joue sur la tête de Jasmine.

Frissonnante, la jeune femme le regarda ensuite partir. Quand il disparut derrière les chênes, elle poussa un soupir pour reprendre son souffle. Les choses allaient beaucoup trop vite.

Pouvait-elle avoir confiance en sa propre valeur ?

4

« Rien d'étonnant », se dit Jasmine qui était d'humeur maussade, ce vendredi, en montant dans sa Mustang. Le mardi soir, Laurent l'avait appelée avant son départ pour New York le lendemain afin de régler des affaires, lui disant qu'il la verrait à son retour. Depuis, elle n'avait plus de nouvelles.

Comment avait-elle pu y croire? Pourquoi était-elle tombée dans le piège? Apparemment rien ne pouvait le détourner de son « obsession de la réussite ». Non! Jasmine avait déjà commis une erreur en s'engageant avec un autre individu. Pas question de recommencer.

Dans l'espoir de chasser Laurent de son esprit, elle se lança avec frénésie dans des occupations diverses. Très tôt, elle allait nager dans l'eau glacée du lac puis, de retour à la maison vers huit heures, elle passait toute la matinée devant sa planche à dessin. L'après-midi, elle tenait le magasin, puis se détendait le soir en dînant avec son père. Quelques heures plus tard, quand ses paupières se faisaient trop lourdes, elle s'écroulait, totalement épuisée, sur son lit et dormait d'un sommeil sans rêves.

Elle se réveilla de bonne humeur ce jour-là, restant sans bouger à épier les bruits familiers de la maison vide, emplie d'une énergie créatrice. Elle tourna la tête et vit ses croquis. Il s'agissait là de sa collection la plus ambitieuse.

Tel un enfant à la recherche d'un regard rassurant, elle sauta du lit et examina ses peintures sous les rayons dorés du soleil. Que c'était fascinant d'imaginer ces rayures, ces fines volutes et ces motifs fleuris en trompe l'œil qui allaient prendre vie sous forme de rideaux, de coussins et de tapisseries, tous imprimés à son nom! Son père éprouverait pour elle la même fierté que lorsqu'il entraînait Laurent.

« Zut! » jura-t-elle à voix haute. Jasmine avait à peine pensé à Laurent et au tennis depuis son départ pour New York. « Zut! et Zut! » Voilà que toute la concentration de ces deux derniers jours passés avec ses pinceaux disparaissait et l'image de cet homme resurgissait dans son esprit.

Elle secoua la tête d'un geste impatient comme pour chasser ces pensées. La jeune artiste avait travaillé dur pour donner le meilleur d'elle-même à ses créations. Comme toujours, la déception suivait la joie enivrante d'un travail réussi.

Jasmine ressentait le besoin d'oublier sa table à dessin et de reprendre contact avec la vie quotidienne. Elle pourrait peut-être s'occuper du projet de rénovation de Cal ou bien changer la housse du canapé de la cuisine, comme elle l'avait promis à son père. Jasmine décida d'envoyer ses croquis à l'usine de textiles de Worcester et de se rendre à Pittsfield.

Ce jour-là débutait le festival de Tanglewood qui allait durer le week-end. Avec un peu de chance, l'artiste trouverait un décorateur de Pittsfield qui accepterait de travailler à ses conditions.

Garée devant le Pays d'antan, Jasmine claqua la portière en regardant le soleil voilé par les nuages, cela expliquait cette chaleur moite. Elle venait d'accomplir un vrai petit miracle en réalisant tous ses projets, et sans se presser encore. Au magasin d'art de Pittsfield, la jeune femme avait trouvé toutes les couleurs indispensables ; le décorateur avait bien voulu couper la housse dans un tissu de sa création et, pour ajouter à son étonnement, il avait même accepté de se déplacer pour prendre les mesures.

Jasmine appela immédiatement sa secrétaire pour s'assurer que le tissu serait envoyé le jour même.

– Terry Evans, s'il vous plaît...

En attendant que son assistante décroche, elle aperçut une ombre sous les arbres, ce qui attira son attention. Jasmine s'assit et vérifia les numéros de référence avec Terry.

– Merci infiniment, Terry.

Elle raccrocha, le souffle coupé : Laurent se dirigeait à grands pas vers la terrasse, sous sa fenêtre. Elle en eut un pincement au cœur, ce qui canalisa toute la chaleur de son corps en un point unique. Les clochettes accrochées à la porte de la cuisine tintèrent violemment.

La jeune femme descendit l'escalier en courant et ouvrit au visiteur.

Laurent la regardait de ses yeux bleus pétillants. Il bougonna :

— Où étiez-vous ?

Rouge de colère, Jasmine examina son visage autoritaire.

— Sortie acheter ma dose de cocaïne pour cette nuit... Que voulez-vous ?

— Ne jouez pas avec moi, Jasmine.

Il la poussa pour entrer dans la cuisine.

— Qu'est-ce qui vous prend ? bredouilla-t-elle.

Il prit une voix douce :

— Je vous cherche comme un fou. Je suis rentré trop tard hier soir pour vous téléphoner et quand je vous ai appelée ce matin, il n'y avait personne. Depuis, je passe ici toutes les heures dans l'espoir de vous trouver et en priant le ciel pour que vous n'ayez pas décidé de vous rendre à votre bureau pour déposer vos croquis.

Le contact de ses doigts brûlait la peau de Jasmine. Ses paroles magiques lui allèrent droit au cœur. Laurent prétendait l'avoir cherchée comme un fou ! Que voulait-il dire, au juste ? Elle essaya de trouver une réponse sensée :

— Cal vous en a parlé ? lâcha-t-elle, faute d'explication plus astucieuse.

— Voilà pourquoi je ne voulais pas appeler trop tôt. Cal m'a expliqué que vous faisiez une course contre la montre hier. J'ai donc préféré vous laisser dormir ce matin.

Il lui caressa tendrement la joue.

— Mon travail ne se termine jamais. Maintenant que j'ai bouclé la collection, je vais m'attaquer à la décoration de l'auberge *Robbin Roots*.

— Cal attend cela avec impatience... Votre père possède un terrain qui a beaucoup de valeur. Il le sait sûrement.

Jasmine suivit son regard qui se perdit dans les montagnes d'une rare beauté en automne. Elle hésita une seconde, puis lui raconta l'offre de Dan Farrington pour l'achat de la propriété.

Laurent siffla d'étonnement :

— Cent dix mille dollars!

— Cela vous étonne?

— La somme, oui. Votre père devrait accepter.

— Et accepter qu'on démolisse cette maison pour construire une galerie d'art ou un fast-food Farrington à la place?

Furieuse, elle tourna les talons et se dirigea vers le canapé d'un pas mal assuré.

— Jasmine, calmez-vous.

Il la força à le regarder.

— Ne soyez pas si émotive. Votre père a dû se tromper, ou bien vous avez mal compris. Je peux vous assurer que Farrington ne sait pas encore lui-même ce qu'il va faire.

— Visiblement, il vous a mis au courant.

— Il m'a invité chez lui aujourd'hui et malgré moi j'ai dû l'écouter exposer son projet pour Diana.

Il refusa de se laisser interrompre et ajouta :

— Mais il n'a pas parlé d'argent.

— Mon père ne cédera jamais, insista Jasmine. Personne, pas même Dan Farrington, ne pourrait lui en offrir un prix suffisant.

— N'en soyez pas si sûre..., dit Laurent, l'œil spéculateur. Chacun a son prix et Farrington est redoutable en affaires. S'il a fait croire à votre père qu'il voulait raser la maison et que seul le terrain l'intéressait, il doit avoir une autre idée en tête. Tel que je le connais, j'ai le sentiment qu'il conservera la structure actuelle pour y créer une boutique de produits fermiers ou un magasin d'antiquités, comme le vôtre. Votre père ne devrait pas sauter sur la première offre, mais gagner du temps en faisant jouer son attachement sentimental à cette demeure afin que Farrington monte les enchères. Je parie qu'il le fera.

Jasmine sentit son cœur se glacer. Cette sensation n'avait rien à voir avec la cupidité du vieux requin ni avec son amour pour cette vieille maison. Elle ne supportait pas le plaisir qu'éprouvait Laurent à calculer comment gagner un maximum d'argent, que ce soit pour lui ou pour autrui. Ils n'arriveraient jamais à s'entendre; tous deux appartenaient à deux mondes différents.

— Que se passe-t-il?

Il lui prit le menton. Elle frissonna sous le contact de ses doigts, évitant son regard.

— Je vous ai contrariée avec ma manie de trop parler. Je vous demande pardon. J'agis uniquement par sympathie car la façon dont votre père traite ses affaires ne me regarde pas. Après tout, il peut également accepter de réfléchir à l'offre de Cal.

L'estomac noué, Jasmine reprit sa respiration, puis :

– Que vous a raconté Cal ?

– Pas grand-chose, sinon qu'il essaie d'obtenir l'approbation de ses parents pour vous acheter un hectare afin de créer un complexe sportif chez lui. Mais ne vous inquiétez pas à ce sujet.

Comme s'il voulait la réconforter, Laurent lui caressa la nuque. A ce geste, elle sut qu'il disait la vérité. Quelque peu soulagée, la jeune femme lui adressa un sourire hésitant.

– Vous êtes un véritable homme d'argent ! murmura-t-elle. Il n'y a pas que cela, dans la vie, vous savez.

Il la prit dans ses bras et rétorqua :

– Bien sûr que non. Laissez-moi vous serrer contre moi.

Une étincelle jaillit et les embrasa tous deux. Laurent éprouvait pour elle une attirance quasi magnétique qu'il dissimulait à peine. Quelques minutes plus tôt, Jasmine pensait qu'ils ne vivaient pas sur la même planète, et maintenant, elle avait envie d'attirer cette bouche sensuelle contre la sienne. Le saphir de ses yeux, aussi orageux, aussi inépuisable que l'océan, balaya ses dernières hésitations. La poitrine écrasée contre son polo moulant un torse qui fleurait le citron vert, la joue appuyée au creux de son épaule musclée, Jasmine trouva le courage de demander d'une voix à peine audible :

– Pourquoi avez-vous dit que vous me cherchiez comme un fou ?

57

– Je ne vous ai pas vue de toute la semaine et je crois que j'aurais perdu la tête si je ne vous avais pas trouvée, cet après-midi.

Elle se blottit tout contre lui. Maintenant qu'elle avait sa réponse, elle ne voulait pas rompre le charme.

– Je dois retourner à Ponterery ce week-end afin de fixer les horaires de mes cours particuliers.

Il la pressa contre lui et écrasa sa bouche sur la sienne.

Au même instant, une explosion aussi violente qu'un coup de feu les força à relâcher leur étreinte. La vieille camionnette de Pops apparut dans l'encadrement de la fenêtre. Le moteur mourut dans un dernier raté.

– Que diable...? s'écria Laurent.

Jasmine partagea sa surprise, puis ils éclatèrent de rire.

– Laurent, je n'arrive pas à y croire...

Les yeux humides et légèrement étourdie, elle posa sa tête contre son épaule.

– Ne me tentez pas, mon ange!

Les cailloux crissaient déjà sous les pas du nouvel arrivant.

Le dimanche, la bruine de la veille avait pris des allures de véritable déluge. Des trombes d'eau s'écrasaient contre les vitres, transformant la terrasse en piscine. Les feuilles de bouleaux arrachées par les rafales de vent tourbillonnaient et échouaient dans les gouttières qui déversaient leur trop-plein. Avant de préparer le petit déjeuner, Jasmine alluma toutes les pièces, satisfaite d'avoir fait ses courses le vendredi et de ne pas avoir à sortir. Depuis son accident de voiture, les routes glissantes la terrifiaient, même en plein jour.

Pendant le week-end, elle n'eut pas beaucoup de temps pour penser à Laurent. Les amateurs d'antiquités arrivaient nombreux et les pièces résonnaient de leurs discussions.

Le lundi, elle décida de téléphoner au décorateur de Pittsfield et de lui fixer un rendez-vous pour qu'il vienne prendre les mesures du canapé. Après cela, elle aurait le temps de s'occuper du projet des Roost.

En découvrant la Jaguar noire de Laurent garée derrière l'auberge, Jasmine eut du mal à se donner une contenance. « On dirait que cette demeure lui appartient », songea-t-elle en se ressaisissant pour affronter quiconque ouvrirait la porte d'entrée.

– Bonjour. Entre donc.

Cal lui prit son attaché-case gravé à ses initiales. Il ajouta d'une voix toujours aussi agréable :

– Viens boire un café avec nous. Ensuite, nous enverrons Laurent au diable.

A la vue de ses longues jambes et de son corps à moitié dissimulé derrière un journal, Jasmine répondit par un sourire timide. D'un bond, Laurent se leva de sa chaise, laissant tomber les feuillets au sol. Leurs regards se croisèrent et Jasmine se sentit totalement incapable de faire un geste, y compris de détacher les yeux de lui. Il paraissait foudroyé. Seul son regard bleu trahissait le plaisir qu'il éprouvait à la voir.

– Pourquoi vous ne dites rien, tous les deux? demanda Cal en les dévisageant.

Jasmine frissonna et baissa les yeux en bafouillant :

– Je ne m'attendais pas à... Je croyais que...

Pour s'occuper les mains, elle versa un nuage de lait dans son café. Puis elle continua d'une voix plus sûre :

– Si Laurent et toi voulez vous entraîner ce matin, nous étudierons mes plans une autre fois.

Envahie par une appréhension absurde, Jasmine ne voulait pas que Laurent voie ses études.

– Pas du tout, la rassura Cal. Nous avons l'après-midi.

La voix de Laurent l'envoûta doucement :

– Ne vous dérangez pas pour moi. Je vais terminer mon article dans l'autre pièce. D'après le volume du dossier, Cal et vous avez de quoi vous occuper pour un moment.

Irritée, la jeune femme décela un soupçon de raillerie dans son attitude quand il désigna la mallette sur la table.

– Vous avez entièrement raison, répondit Jasmine, calmement.

Elle posa sa tasse et ouvrit son porte-documents. Tel un magicien qui sort un lapin de son chapeau, elle prit son cahier à dessin, du

Scotch, des crayons et un bloc-notes sur lequel elle avait griffonné des idées pour la décoration, un catalogue de peinture du magasin de Pittsfield et quelques échantillons de tissus.

– N'oubliez pas que je vous ai à l'œil, chuchota Laurent.

Malgré ses propos moqueurs, il avait l'air sérieux.

– Voilà..., commença-t-elle, crispée. Tu devrais y jeter un coup d'œil pendant que je prends quelques mesures. J'ai coché d'une croix les couleurs que je jugeais appropriées.

Ostensiblement passionné par la lecture de son quotidien, elle avait la certitude que Laurent l'observait à la dérobée et qu'il écoutait ce qu'elle disait. Petit à petit, son activité l'absorba et elle oublia sa présence.

Jasmine connaissait les moindres recoins de cette vieille auberge. Un petit couloir menait à la cuisine et desservait le salon et la salle à manger, divisés par une grande arcade. Cet aménagement donnait à ces pièces un charme douillet mais les rapetissait.

L'œil perplexe, Cal étudiait les ébauches suggérant une salle spacieuse.

– Tu crois que ça irait?

– Absolument, dit-elle avec ardeur. Puisque cette maison bénéficie d'une structure solide, nous remplaçons cette arche par des poutrelles, ce qui donnera ainsi une impression d'espace et de continuité avec le paysage. Je verrais bien un camouflage avec du merisier et des pommes de pin en buis pour accentuer la note campagnarde. J'hésite encore sur le mobilier des propriétaires.

Cal lorgna un lourd buffet en chêne qui appartenait à la famille de sa mère depuis des générations ainsi que les chaises au dossier sculpté.

– Je préférerais des meubles plus dépouillés, avoua Jasmine en s'affalant sur une chaise, l'air songeur.

– Essayons de modifier l'ameublement existant. Dans un premier temps, nous ferons recouvrir ces deux canapés. N'oublie pas que la couleur joue un rôle important. Que penses-tu de celle-ci ?

Elle prit une feuille dans son cahier à dessin et expliqua :

– J'ai l'intention d'utiliser des rubans de couleur de façon à te faire faire des économies considérables.

La décoratrice marqua un temps d'arrêt pour souligner ses paroles et lui sourit. Elle parlait à voix basse, convaincue que Laurent ne perdait pas une miette de leurs propos.

– Maintenant, écoute le professionnel. Les bandes de couleur auront l'effet d'un parcours fléché qui incitera les clients à venir se détendre ici, l'association des tons stimulant leur appétit. Nous mettrons du vert mousse pour évoquer les garnitures des plats, une touche de framboise et de miel pour rappeler les fruits de saison, des tons noisette pour les viandes rôties et le café.

– Arrête, tu me fais monter l'eau à la bouche, protesta Cal en allumant une cigarette.

– Moi aussi, intervint Laurent.

Une fois son exposé terminé, Jasmine rassembla ses croquis étalés sur la table.

– Eh bien, qu'en penses-tu?

Le visage de Cal rayonnait d'un sourire éclatant.

– Il n'y a rien à penser! C'est absolument fantastique! Dès que tu m'auras donné un devis, je mettrai tout en œuvre pour convaincre les propriétaires.

– J'ai déjà la plupart des chiffres, répondit Jasmine. Si je peux utiliser ton bureau, je vais immédiatement en dresser la liste. Une dernière chose!

Elle se rassit, feuilleta de nouveau son calepin, et désignant du doigt une couleur claire :

– Si tu choisis l'un de ces deux modèles pour les housses, je peux les personnaliser. Tu auras ainsi un exemplaire exclusif.

– Sublime!

Cal admira l'échantillon qui représentait un rouge-gorge dodu entortillé dans un motif floral. Il eut un large sourire, visiblement ravi.

– Un rouge-gorge. Merveilleux! Laurent, viens voir le travail de Jasmine.

– Cal!

Un homme d'environ trente ans passa la tête par la porte, un tablier noué autour de la taille. Jasmine reconnut immédiatement le nouveau cuisinier, frais émoulu de l'école.

– Des ennuis? demanda Cal en tournant sa tête aux cheveux clairs tandis qu'il tendait à Laurent les dessins. Il murmura :

– Je reviens dans un instant.

Elle se leva en même temps que Cal et entreprit de ranger ses affaires avec des gestes d'automate. Laurent avait posé ses grandes mains sur la table et examinait les plans. Elle jeta un coup d'œil timide sur son visage impassible.

Avant de sortir, Cal esquissa un geste en direction de son bureau et dit :

– Je t'en prie, Jasmine, fais comme chez toi.

– D'accord. Je laisserai mes notes sur ton secrétaire.

Elle reprendrait ses croquis plus tard, préférant inscrire immédiatement les tarifs sur un papier. Ainsi, Laurent ne s'imaginerait pas qu'elle attendait son avis sur son travail.

– Vous êtes une fille très intelligente!

La grande carcasse de Laurent occupait tout l'encadrement de la porte du bureau. Il avait le bras appuyé contre le montant.

Absorbée par sa tâche, la jeune femme ne l'avait pas entendu arriver. Elle sursauta en se retournant et coinça sa jupe dans un tiroir. Le bloc-notes tomba à terre.

– Ne bougez pas ou vous allez déchirer le tissu.

Ses mains fermes la saisirent par les hanches pour la rapprocher du secrétaire, donnant du jeu à la toile. Après avoir ramassé le carnet, il se releva plus lentement que nécessaire et effleura ses jambes nues de ses lèvres. Un frisson la parcourut sous ce contact aussi doux qu'une plume. Puis, devant l'intensité de ses yeux, la jeune femme se perdit dans le bleu de cet océan infini.

Sans remarquer qu'elle perdait toute force de résistance, Laurent la prit par les épaules mais ne l'attira pas à lui pour mieux la dévisager.

– Je vous trouve remarquable, Jasmine. Vous avez imaginé quelque chose de ravissant pour notre ami Cal. La petite fille de Pops a fait des progrès.

Jasmine piqua son fard, décontenancée. Elle avait désespérément besoin de son avis, mais pas de cette façon condescendante.

– Mon père ne m'a jamais prise pour une « petite fille », lança-t-elle, furieuse.

– Je parlais sincèrement. Qu'est-ce qui a bien pu vous aigrir de la sorte ?

– Je n'aime pas qu'on me traite comme une enfant précoce, rétorqua Jasmine.

– Vous ne risquez rien, dit-il. Vous avez beaucoup trop de charme pour cela.

Il se pencha par-dessus le bureau et posa un baiser sonore sur sa joue crispée.

Elle rejeta la tête en arrière et ses yeux vacillèrent sous le feu ardent de son regard.

Laurent finit par interrompre ce silence pesant.

– Je n'arrive pas à vous saisir. Tantôt vous vous conduisez comme une femme à la tête froide, tantôt vous vous montrez si complexée que vous n'acceptez même pas un compliment.

– Je doute que vous me l'ayez dit dans ce but.

Elle choisit de fixer une tache sur le mur, n'importe quoi plutôt que d'affronter ses yeux.

– Vous êtes un mélange de feu et de glace. Il y a quelques jours à peine, vous vouliez que je vous tienne dans mes bras, et maintenant que j'en ai envie, vous vous conduisez comme une diva.

Jasmine essaya de le toucher avec la seule arme qu'elle connût :

— La presse disait peut-être vrai à votre sujet.

Elle regretta aussitôt ses paroles en voyant Laurent changer de couleur, comme sous l'effet d'une gifle.

Il tourna les talons et se heurta à Cal qui s'exclama joyeusement :

— J'ai raté ma vocation. J'aurais dû devenir électricien.

Jasmine comprit qu'elle ne pouvait plus réparer sa maladresse. C'était trop tard.

5

– TU étais au téléphone avec Laurent?

Pops arriva dans la cuisine, sa traditionnelle veste de madras sur les épaules.

Jasmine se détourna et fit un signe de tête. Sans tenir compte du regard interrogateur de son père, elle ajouta :

– Je vais ranger tout ce désordre pour que nous puissions déjeuner. J'étudiais un nouveau projet.

– Il passera plus tard?

– Non.

Elle ouvrit le réfrigérateur et fixa le plat de gaspacho qu'elle avait préparé une heure plus tôt, comme si elle le découvrait pour la première fois.

– Je te rappelle que tu parles à ton père et non à un de ces vieux fouineurs.

Devant le ton inquisiteur de son père, Jasmine expliqua :

– Laurent me demandait si je voulais l'accompagner au théâtre du Berkshire ce soir et je lui ai répondu que j'avais trop de travail. Rien de plus simple.

– Je n'aurais jamais dû accepter ton aide alors que tu as tant à faire. J'aurais réussi à me débrouiller tout seul.

– Non, papa. C'est moi qui ai eu l'idée de ces vacances.

Sa fille se jeta au cou de Pops et l'embrassa.

Jasmine préparait les steaks quand son père rentra. Il venait de passer l'après-midi à entraîner Laurent. Il servit deux verres de sherry et attaqua sans préambule :

– Laurent m'a dit qu'il t'avait invitée, hier soir.

Jasmine se raidit.

– Effectivement.

Elle dégusta son alcool, luttant de toutes ses forces pour dissimuler son irritation.

– Évidemment, ajouta-t-elle, l'intérêt que vous me portez tous les deux devrait me flatter.

– Je trouve plutôt curieux que tu refuses d'aller à *Wheatleigh Villa*, alors que tu as toujours prétendu adorer cet endroit.

– Je n'aime pas Brahms.

Pops passa un bras autour des épaules de sa fille :

– Tu ne veux vraiment pas me dire ce qui se passe entre vous deux ?

– Il m'a agacée avec son arrogance sur mes... aptitudes.

Ses yeux violets s'assombrirent.

– Bien sûr, je le trouve séduisant. D'ailleurs, qui ne succomberait pas ? Mais c'est un égocentrique.

– Il ne sait probablement pas que tu as fait une carrière de championne de tennis, insista doucement son père. Quand comprendras-tu qu'il y a dans la vie des choses plus importantes que le tennis?

Jasmine vida son verre d'un trait et laissa échapper:

– Va l'expliquer à Laurent.

– Je me permets de te rappeler que la viande va brûler.

Pops remplit une nouvelle fois leurs verres et alla s'asseoir.

– Tu ignores tout de Laurent. Je veux parler de sa jeunesse. Il a toujours été tiraillé entre un père irlandais aux cheveux roux et au tempérament fougueux, et une mère écossaise qui le raisonnait sans cesse, l'incitant à freiner en lui le sang O'Brien.

– Au moins, elle a le mérite d'avoir essayé, lança Jasmine qui restait de marbre.

Son père lui jeta un regard désapprobateur.

– Fiona O'Brien est une femme remarquable, ce qui n'enlève rien au mérite de Laurent. Il était encore au lycée quand son père est mort au cours d'une bagarre dans une taverne.

– Mon Dieu!

– Après l'accident, Laurent a adopté une attitude exemplaire. Mais la presse n'abandonne pas si vite. Pauvre garçon!

Pops se leva de table et dit brusquement:

– Je m'occupe des steaks si tu veux bien sortir les assiettes.

Le dîner se déroula sans un mot devant le journal télévisé. Pops aida sa fille à ranger la cuisine, puis, visiblement épuisé, il partit se coucher.

Peu de temps après, Jasmine l'imita. Incapable de se concentrer sur son livre, elle finit par renoncer. Elle passa son déshabillé en dentelle et appuya le nez contre la fenêtre. La lune brillait, sculptant les grands chênes de son éclat blafard. Devant ce décor romantique, la jeune femme songea à Laurent. Une brise légère agita les feuillages, faisant naître des ombres mobiles. Elle crut voir une silhouette imposante avancer dans l'allée.

Tremblante, elle se réfugia sous ses draps, les remontant jusqu'au menton. Derrière ses paupières closes, elle vit le visage de Laurent.

Jasmine écoutait d'une oreille distraite le bruit des voitures qui passaient de temps en temps. Elle chérissait tout particulièrement les matinées, dans cette vieille maison truffée d'antiquités : elles lui permettaient de reprendre son souffle avant d'affronter le premier client, calculer la recette de la veille et faire l'inventaire des objets vendus, déplacés, cassés ou encore dérobés.

Au moment où la pendule de l'entrée sonnait une heure, Jasmine entendit claquer une portière de voiture. Quelle ponctualité! Elle referma ses livres de comptabilité et les rangea dans un tiroir.

— Bonjour! Je cherche Laurent. Tu ne l'as pas vu?

Diana Farrington poussa la porte d'entrée. Elle

avait une voix agacée et essuyait la transpiration qui perlait sur son front.

— Quelle fraîcheur, dans ton magasin! Dehors, c'est un véritable four.

— Assieds-toi un peu et détends-toi, proposa Jasmine en désignant du doigt la chaise, près du comptoir.

— Merci. Je reste une minute.

S'épongeant les joues avec un mouchoir, Diana répéta :

— Tu as vu Laurent?

— Pas aujourd'hui, répondit Jasmine d'une voix laconique. Il se trouve peut-être chez Roost.

Pourquoi donner à Diana la joie de savoir qu'elle ne l'avait pas vu depuis trois jours?

— Il n'y a que la réceptionniste et quelques clients.

— Alors, il doit s'entraîner.

— Par cette chaleur? En fait, s'il veut remporter l'Open, il va devoir se battre durement.

Les yeux de Diana se ranimèrent soudain.

— Si je me souviens bien, toi aussi tu gagnais des tournois de tennis, autrefois, n'est-ce pas? Je ne comprends pas pourquoi Laurent ne m'en a jamais parlé. Après tout, Stockbridge est une si petite ville... Enfin, comparées aux siennes, tes victoires n'avaient pas la même importance.

Jasmine approuva, malgré son envie de lui tordre le cou. Diana reprit :

— Connaissant les centres d'intérêt de mon ancien mari, je suppose qu'il t'a entretenue de ses affaires.

— Nous n'avons jamais abordé ce sujet, répondit Jasmine, légèrement irritée.

— Papa l'a intéressé à un gros contrat immobilier. Il m'a d'ailleurs précisé qu'il essayait de conclure l'affaire pour mon anniversaire le mois prochain.

— Je vous demande pardon, mademoiselle, les interrompit un client qui venait d'entrer.

— Il faut que je parte, tu as du monde.

Visiblement, Diana avait placé ce qu'elle avait à dire.

« Non, ce n'est pas possible! Pas les terres de papa! » pensa Jasmine l'esprit en ébullition après le départ de Diana.

Peu à peu le flot des chineurs absorba toute son attention. Dans les moments de bousculade, elle aurait souhaité gagner suffisamment d'argent pour embaucher une assistante.

— Vous voulez dix dollars pour cette vieille table éraflée? grinça une voix masculine à son oreille.

Scandalisée, Jasmine se retourna vivement et sa main se raidit sur le verre couleur rubis qu'elle emballait.

— Oh, Cal!

Elle sourit devant la mine moqueuse de son ami.

— Tu peux t'estimer heureux de ne pas avoir reçu ce truc sur la tête.

Déçue de ne pas trouver Laurent derrière lui, elle dit :

— Je croyais que tu entraînais Laurent, cet après-midi.

– Jamais le jeudi. C'est le jour mystérieux de notre homme, un rendez-vous qu'il ne peut absolument pas manquer, à son club de Ponterery.

Jasmine ressentit une sorte de plaisir pervers à l'idée que Diana n'en savait rien. Mais Cal? Il lui parut étrange que Laurent se montre aussi secret avec son partenaire et ami.

Cal haussa les épaules d'un air maussade. Il attendit qu'elle termine son paquet et il se pencha par-dessus le comptoir pour reprendre sur le ton de la confidence :

– Tu veux bien m'accorder une minute? Je ne veux pas t'ennuyer avec cela maintenant, mais je vais m'absenter pour la journée. Ils m'ont chargé de te dire que ton projet leur plaisait et qu'ils envisagent également de tapisser la réception. Ils souhaiteraient connaître ton avis à ce sujet.

Jasmine se leva, faisant signe à quelqu'un.

– Je peux venir chez toi demain matin, si tu veux. Nous pourrons en discuter ensemble.

– Parfait! Ils m'ont promis une réponse demain au plus tard.

Avec un sourire désabusé, Jasmine le regarda tenir la porte pour laisser sortir une cliente. Pour une fois, Cal avait pris une initiative, et elle eut l'étrange impression qu'il s'efforçait de rivaliser avec Laurent pour la séduire.

Le lendemain, Jasmine jugea que l'entrée de l'auberge se prêterait à la perfection au papier peint.

– Nous mettrons ici une couleur estivale.

Laurent et Cal rentraient d'un entraînement de quatre heures. Cal avait jeté ses raquettes sur la vieille commode en chêne et s'était affalé sur un fauteuil. En reprenant sa respiration, il alluma une cigarette et se lamenta :

– Je n'ai jamais été aussi sonné.

Laurent se tenait près de la cheminée. Sa respiration avait retrouvé un rythme normal, mais la transpiration collait encore sa chemise sur son torse musclé. Jasmine essaya de ne plus regarder dans sa direction et se dirigea vers Cal.

– Si tu le désires, je vais sélectionner quelques modèles et je viendrai te déposer les brochures avant d'ouvrir le magasin.

– Comme tu veux. Je me sens trop épuisé pour prendre une décision.

– Moi pas, intervint Laurent brusquement. Je vous emmène déjeuner.

Jasmine lui décocha un regard glacial. Même si son invitation s'adressait à tout le monde, ses yeux lui parlaient à elle seule.

– Je ne peux pas, murmura Cal. J'attends un coup de fil des propriétaires vers midi et je dois absolument leur parler d'une affaire d'argent.

Il ajouta avec un sourire sarcastique :

– De plus je ne tiens pas à ce que l'on croie que je vais tester les menus des mes concurrents. Allez-y sans moi.

Jasmine regarda son bracelet-montre, faisant mine d'hésiter. La petite aiguille en or marquait les secondes à une allure qui ressemblait à la course folle de son cœur. Elle objecta d'une voix peu convaincue :

– Je dois refuser, car il me faut sélectionner les échantillons pour Cal à Pittsfield.

– Pas de problème, rétorqua Laurent en lui souriant. Il n'est que onze heures et demie et, à cette heure-ci, il y a peu de monde dans les restaurants. Ensuite j'aurai le temps de vous conduire où vous voudrez et de vous ramener ici.

La gorge de Jasmine se noua de plaisir. Elle lui rendit son sourire.

– Accordez-moi dix minutes.

– Amusez-vous bien, lança Cal d'une voix glaciale.

Quand elle entendit la Jaguar de Laurent crisser sur le gravier, Jasmine prit son sac et ouvrit la porte au moment où il sonnait. Ses cheveux humides lui donnaient un air juvénile et son polo jaune aux initiales L.O.B. sentait le propre. Elle monta dans la voiture à ses côtés et verrouilla la portière.

– Vous ne croyez pas aux ceintures de sécurité?

Il lui lança un regard ironique auquel elle répondit par un haussement d'épaules.

– Je suppose que j'ai une nature fataliste.

– Même les fatalistes ont besoin de protection, ajouta Laurent après un moment.

Elle luttait pour savoir si elle devait lui dire que cet accessoire ne l'avait pas empêchée de se retrouver projetée dans un pare-brise, brisant ainsi ses chances de devenir championne de tennis. La jeune femme se pinça les lèvres. Laurent tourna la tête vers elle.

Il tint le volant d'une main et posa l'autre sur la sienne.

– Je ne vous fais pas la morale. J'insiste uniquement parce que je m'inquiète pour vous.

Jasmine regarda sa main puissante qui se refermait fermement sur le volant. « Il parle sincèrement », songea-t-elle en réprimant son envie de caresser sa joue chaude. Pourtant, elle garda les doigts croisés sur ses genoux, ajoutant :

– Lorsque nous nous connaîtrons mieux, je vous raconterai peut-être pourquoi je m'en remets au destin.

– Alors, préparez-vous !

Freinant à un carrefour, il jeta un rapide coup d'œil dans le rétroviseur et l'embrassa furtivement sur la tempe.

Laurent l'emmena dans un restaurant de Stockbridge dont la terrasse donnait sur un cours d'eau au fond duquel de grosses pierres plates brillaient comme des étains. Jasmine sourit à la vue d'une famille de colverts qui avaient élu domicile sur la berge ensoleillée. Devant le regard tendre de Laurent, le rouge lui monta aux joues.

D'une caresse plus légère que les ailes d'un papillon, il effleura ses lèvres.

– Vous avez fait votre choix ?

Aucun d'eux n'avait remarqué la serveuse plantée devant leur table.

Laurent prit le menu.

– Une bière et un sandwich ? Ou bien préférez-vous un hamburger ?

– Je prends le sandwich au thon avec une bière, décida Jasmine.

Bien malgré elle, la serveuse avait rompu la magie du moment.

Dès qu'ils se retrouvèrent seuls, Laurent prit la main de Jasmine et, se méprenant sur son silence, il lui sourit :

– Ne m'en veuillez pas, mais je ne peux m'empêcher de vous toucher. J'aime le contact de votre peau, de vos mains, de vos lèvres, de votre gorge...

Elle essaya de retirer sa main.

– Jasmine, ne fuyez pas. Qu'est-ce qui vous ennuie ?

La voix de Laurent paraissait sincèrement surprise.

Elle croisa son regard grave et, la gorge nouée, elle continua :

– Diana m'a dit que son père et vous aviez des intérêts communs dans une affaire immobilière. S'agit-il du terrain de mon père ?

– Décidément, Diana ne sait pas se taire !

Sa réponse n'était pas le démenti qu'elle espérait. Les sourcils à présent froncés, il lui lâcha la main.

– « Intérêts » me semble un bien grand mot. Farrington m'a mis au courant de son offre, et je vous en ai déjà parlé. Ne vous laissez pas piéger par les paroles de Diana ; elle aime déformer les choses à son avantage. Croyez-moi, je n'ai pris aucune participation.

Jasmine baissa les yeux, regrettant d'avoir abordé ce sujet car Laurent semblait honnête. Pour essayer de noyer son sentiment de culpabilité, elle avala une longue gorgée de bière.

Laurent mordit dans son sandwich avec voracité. Jasmine l'imita, mais fut vite rassasiée.

– Je vous en prie, dit-elle en tendant son assiette, prenez-en la moitié. Je ne pourrai jamais tout avaler.

– Si vous voulez, mais je m'en voudrais d'avoir la responsabilité d'ajouter quelques grammes à votre silhouette.

Son regard s'attarda sur les rondeurs prometteuses qui apparaissaient sous son corsage froncé puis glissa sur sa taille qui paraissait encore plus fine dans cette jupe drapée. Il poussa un petit soupir qui ressemblait à un léger sifflement.

Jasmine avait la certitude que les clients assis aux tables voisines les observaient. Elle s'accrocha à des lieux communs :

– Vous devez mourir de faim, après un entraînement aussi intensif que celui de ce matin.

– Pas plus que d'habitude. A propos de tennis, Diana organise un match avant le tournoi.

– Pour vous ?

– Pour tous les joueurs et toutes les personnes qui participent à l'Open; les entraîneurs, leur femme et les sponsors.

Jasmine remarqua sur un ton sec :

– Je me demande si elle va m'inviter. En fait, je n'appartiens à aucune des catégories, étant la fille de l'entraîneur et la voisine de son ancien mari.

– Si elle me demande mon avis, je peux vous garantir que vous recevrez un carton d'invitation. Mais sûrement pas en tant que « voisine de l'ancien mari ». Ma mère et ma sœur arrivent demain et je m'installe dans la maison du lac.

Jasmine dissimula le choc provoqué par la nouvelle de son départ en opposant un refus catégorique :

— Je ne veux pas que vous interveniez. De toute façon, je ne souhaite pas cette invitation.

— Dans ce cas, je ne jouerai pas.

— Alors, demandez-lui d'annuler le match.

— Impossible. Diana y tient beaucoup.

— Vous cédez toujours à ses caprices ? demanda Jasmine, la gorge serrée.

Après un silence tendu, il la regarda de son regard bleu acier. Il répondit :

— Vous faites allusion à notre mariage ?

— Bien sûr que non, rétorqua Jasmine.

La rage lui piquait les yeux. Il avait lu dans ses pensées. Dans un ultime effort, elle garda la tête haute et croisa ses yeux glacés.

— J'ai très bien déjeuné, merci.

Elle jeta un coup d'œil sur sa montre et ajouta :

— Si vous avez terminé, je crois qu'il faut partir.

Laurent fit signe à la serveuse de lui apporter l'addition, puis il déclara dans un murmure :

— Jasmine, je crois que nous ne pouvons pas nier notre émotion. Vous savez que j'ai envie de vous, n'est-ce pas ?

La force de ses doigts brûla Jasmine qui se noya dans les profondeurs de son regard. Elle approuva par un geste timide esquissé dans l'étau de sa main.

— Quand ? insista-t-il en prenant son menton tremblant.

— Attendez, je ne sais pas, dit-elle faiblement.

– Attendre est un mot sans intérêt.

Il laissa un bon pourboire à la serveuse en réglant l'addition et leva ses yeux brillants.

– En fait, vous avez peur d'admettre que votre superbe corps recèle tout ce qu'un homme peut souhaiter ?

– Mon corps uniquement ? demanda-t-elle en cherchant à garder son sang-froid.

Il avait repris une voix normale :

– Vous faites exprès de ne pas me comprendre ? Votre esprit ainsi que votre corps.

Son tendre défi résonnant encore à ses oreilles, Jasmine se dirigea vers la sortie. Elle en voulait à Laurent de lire aussi facilement ses pensées.

Dans la voiture, il attira son corps qu'il trouvait irrésistible contre le sien, et posa délicatement la tête contre son cou. Le pouls de Laurent battait vite et sa peau était si douce que la jeune femme mourait d'envie de l'enlacer, mais la réticence qu'elle éprouvait encore l'empêchait de se laisser aller. Il plongea le visage dans ses cheveux, puis lui renversa la tête, l'obligeant à le regarder. La petite étincelle argentée qu'elle surprit dans le bleu de ses yeux l'électrifia. Elle se jeta dans ses bras, puis se ressaisit au contact de son torse et se détourna de la bouche affamée de Laurent.

– Jasmine..., murmura-t-il en relâchant son étreinte. Vous recommencez à vous comporter comme une vierge effarouchée. Pourquoi ?

Elle tenta de reprendre sa respiration et s'absorba dans la contemplation des passants. Elle répondit sans conviction :

– Je crois que je n'aime pas batifoler en public.

Il la contredit immédiatement d'une voix tranchante comme un couperet :

– Non, Jasmine. Je parierais que c'est votre mari qui vous a rendue si craintive. Il semble que nous ayons tous deux quelque chose à oublier.

Laurent mit le contact. La voiture effectua une marche arrière au milieu de la rue et démarra dans un crissement de pneus. Il prit la direction de Pittsfield en roulant à une allure paisible.

Son humeur changea aussi vite qu'une giboulée de mars. Il se tourna vers elle pour demander :

– Aimez-vous Mozart?

Jasmine l'observa du coin de l'œil et répondit en plaisantant :

– La musique adoucit les mœurs.

Le visage de Laurent se décontracta sous cette repartie légère.

– La musique n'est qu'un prélude.

Il pressa son genou dénudé d'une main provocante et brancha le lecteur de cassettes.

Jasmine posa ses doigts frais à l'endroit où il avait posé les siens, mais la chaleur qu'il dégageait défiait le conditionneur d'air. Elle croisa et décroisa les jambes, puis finit par les replier sur le siège en cuir. Obsédée par l'idée qu'ils allaient bientôt s'aimer, elle frissonna en se demandant si le tempérament capricieux de Laurent aurait cette curieuse intensité brûlante dans l'intimité.

– Vous avez froid? s'enquit Laurent.

Elle mentit en dodelinant de la tête, comme pour accompagner la sonate qui s'échappait de la stéréo.

– Quelle sonorisation superbe!

– J'espère bien. C'est un modèle dernier cri, tout neuf. Il y a environ un mois, j'ai commis l'erreur de garer la Jaguar sur le parking de l'hôtel de ville. Le lendemain, le lecteur de cassettes et une grande partie du tableau de bord avaient disparu.

– Vous avez eu de la chance qu'on ne vous vole pas la voiture.

Tandis que les fermes et les champs défilaient, ils évoquèrent le passé avec une spontanéité grandissante. A sa grande surprise, Laurent possédait la capacité de rire de lui-même. De son côté, Laurent écouta en silence les souvenirs de Jasmine. Une fois, il l'interrompit pour la taquiner sur la précision mordante avec laquelle elle évoquait l'amour de son père pour l'entraînement.

– Petite fille, vous deviez avoir beaucoup plus de sensibilité que Pops ne le croyait.

Ils rentrèrent à Stockbridge avec une demi-douzaine de catalogues d'échantillons entassés sur le siège arrière.

La réceptionniste leur apprit que Cal avait dû partir pour Boston.

Perplexe, Jasmine dit :

– Mais il les attendait, ces échantillons.

– Il ne reviendra pas avant plusieurs heures. Mais vous pouvez les laisser dans son bureau.

Portant presque tout sur ses épaules, Laurent la suivit et, avec un soupir de soulagement, déposa son fardeau sur le secrétaire de Cal. Les bras croisés, il observa Jasmine ouvrir chaque volume pour s'assurer que les papiers qu'elle avait sélectionnés se trouvaient toujours en place.

Soudain, Jasmine rencontra son regard intense et son cœur s'affola.

« Je ferais mieux d'ouvrir le magasin », songea-t-elle. Après avoir vérifié l'heure à sa montre, elle voulut sortir, mais il lui bloqua le passage, referma la porte du pied et la prit dans ses bras. Il lui demanda d'une voix douce :

– Pourquoi me fuyez-vous ?

– Je ne fuis pas, protesta-t-elle. Je dois aller travailler.

– Envoyez ce magasin au diable pour aujourd'hui, dit-il en refusant de la lâcher.

Sans s'en rendre compte, la jeune femme se retrouva collée fermement contre ses hanches. Elle parla d'une voix faible :

– Que voulez-vous dire ?

Sans répondre, il laissa courir un doigt sur le menton de Jasmine. Puis il attira ses lèvres contre les siennes :

– Simplement ceci, Jasmine, murmura Laurent entre deux baisers tendres. J'ai envie de vous. Maintenant. A l'instant même. Vous êtes comme un feu qui se consume et qu'on ne peut éteindre.

Sa respiration devint saccadée.

Jasmine jeta la tête en arrière, vaguement surprise de voir ses mains nouées au cou de Laurent. Elle entendit la douce réponse de son corps et sentit de la chaleur monter en elle. Les lèvres de Laurent avaient découvert la vallée de délices qui se cachait entre la naissance de son cou et de son épaule. Ses baisers errants électrisèrent Jasmine, attisant en elle un brasier ardent. Laurent embrassa le creux de ses mains tremblantes et les posa contre sa joue. Il murmura :

— Vous avez envie de moi, je le lis dans vos yeux.

Elle rencontra son regard sincère qui enflammait ses sens et répondit dans un souffle :

— Oui !

Laurent l'attira dans sa chambre et mit la chaîne de sécurité. Il rejoignit Jasmine qui attendait devant la fenêtre et l'enlaça aux épaules. Avec un petit cri, elle se retourna vers lui, envahie par le désir de se donner entièrement et sans réserve. Elle nicha la tête contre son cou brûlant.

La lumière filtrée par les persiennes éclairait le visage de Jasmine. Il le prit entre ses mains, presque respectueusement et l'embrassa avec tendresse.

— J'ai envie de vous depuis le jour où je vous ai repêchée dans le lac, avoua-t-il d'une voix proche de l'extase. Vous m'avez ensorcelée et vous n'avez pas idée du nombre de fois où j'ai rêvé de vous tenir dans mes bras et de vous aimer jusqu'à en devenir fou.

Un regret subit se dessina sur sa bouche.

– J'aurais seulement voulu fêter cela avec plus d'éclat, en vous offrant du champagne.

Jasmine cacha sa nervosité par un petit rire.

– Je ne veux rien boire. J'ai seulement besoin d'un moment pour me rafraîchir.

D'un geste, il lui désigna une porte.

– J'ai le privilège de partager une salle de bains avec le propriétaire de l'auberge. Et si nous prenions une douche ensemble? Qu'en pensez-vous?

– Pourquoi pas?

Surpris par la réponse de Jasmine, Laurent se déshabilla rapidement et garda son caleçon. Après avoir refermé la porte derrière lui, Jasmine rangea ses propres vêtements sur une chaise avec un soin superflu. Indécise, elle resta au milieu de la pièce, le dos tourné au lit, hésitant à enlever ses sous-vêtements, puis se résolut à les ôter. Elle frappa à la porte de la salle de bains.

Le souffle lui manqua quand elle l'aperçut à travers la vapeur, tel un Apollon de bronze. « Quel homme superbe! » L'humidité sculptait les muscles saillants de son torse et son ventre plat. Malgré son manque d'expérience, Jasmine sut d'instinct qu'il avait tout ce qu'une femme peut désirer.

Laurent l'aida à monter dans la baignoire tout en buvant des yeux les courbes de son corps élancé.

— Mon Dieu, quelle beauté!

Il laissa ses mains avides courir sur ses épaules, puis sur ses seins. Enfin, il la prit par les hanches et l'attira contre lui avec une puissance qui lui coupa le souffle.

Après s'être séché avec la même serviette qu'elle, il la souleva dans ses bras et la porta sur le lit. Les muscles fermes de ses cuisses ondulaient contre sa peau sur un rythme aussi primitif que le feu qui la dévorait. Leurs corps s'enlacèrent, cherchant à se rapprocher le plus possible pour ne faire qu'un. Les mains de Laurent errèrent fiévreusement, en quête de l'endroit secret où elle brûlait d'envie de sentir son contact.

Elle laissa échapper un gémissement et partit à la découverte de son corps. Puis elle s'enhardit en entendant la respiration saccadée de Laurent sous ses caresses. Pour la première fois, une agonie à la fois insoutenable et délicieuse s'emparait d'elle.

— Jasmine!

Ils se figèrent en entendant des pas et le bruit d'une clef dans la serrure, n'osant plus respirer. Laurent la serra dans ses bras pour calmer la panique qu'il lisait dans ses yeux.

— Monsieur! J'ai cru reconnaître votre voiture.

Laurent posa un doigt sur les lèvres de Jasmine. L'intrus reprit :

— Nous avons encore des ennuis dans la cuisine avec l'aération.

Après s'être assuré qu'il n'y avait plus personne, Laurent glissa du lit et s'habilla rapidement. Puis il déposa un tendre baiser sur les yeux de Jasmine, encore brûlants du feu de la passion.

– Je vais trouver un moyen pour retenir Cal à l'autre bout de l'auberge pendant que tu t'éclipseras. Cela s'annonçait si merveilleux...

Avant de partir, il s'agenouilla et posa la tête entre ses seins humides et parfumés.

6

COMME toujours, les chineurs du week-end regardaient plus qu'ils n'achetaient. La pendule marquait plus de cinq heures et demie quand Jasmine referma la porte du magasin sur les derniers visiteurs en poussant un soupir d'épuisement. Elle emporta la caisse dans la cuisine où elle trouva son père en train de déballer un poulet rôti qu'il avait acheté au supermarché. Des effluves savoureux lui flattèrent l'odorat, lui ouvrant l'appétit. Elle embrassa son père.

– J'ai vécu un véritable enfer, aujourd'hui.

– Moi aussi, répondit Pops. J'ai acheté cette volaille parce que je pensais que nous n'aurions pas envie de faire la cuisine.

Des ridules de fatigue se creusaient à la commissure de ses lèvres. Il annonça :

– Aujourd'hui, nos ventes ont dépassé la recette des deux dernières semaines.

Jasmine rangeait les chèques, les billets et les pièces en piles, l'air songeur.

– Ce n'est pas aujourd'hui que Laurent doit s'installer au lac ?

Son cœur fit un bond quand son père mentionna la date. Débordée, elle n'avait pas eu le temps de penser au déménagement de Laurent. Elle éprouva un pincement de jalousie pour sa mère et sa sœur qui allaient l'accaparer entièrement. Et puis, il y avait Diana sur l'autre rive.

– Papa, à quoi ressemble sa famille? s'enquit Jasmine.

– Si tu n'avais pas traîné dans toute l'Angleterre, l'année dernière, tu les aurais rencontrés.

– La sœur de Laurent s'appelle Scotia, expliqua son père en lui tendant une assiette, mais tout le monde la surnomme Scotty. Je me souviens qu'elle suivait son frère comme un petit chien.

Pendant tout le repas, il fouilla dans sa mémoire pour évoquer les années passées.

– Laurent ne le reconnaîtra jamais, mais Scotty nourrit pour lui une véritable dévotion. Sa mère s'occupe des affaires immobilières de son défunt mari, et pour quelqu'un d'inexpérimenté, elle s'en sort bien.

Croyant déceler une intonation différente dans la voix de son père, elle leva les yeux, mais elle ne vit qu'un visage impassible.

Après le dîner, Jasmine monta dans sa chambre, terrassée par la fatigue. Elle s'aspergea le visage d'eau fraîche et se fit couler un bain. Elle resta un long moment alanguie dans la baignoire, puis se sécha et se regarda dans la glace. Un frisson de plaisir la parcourut au souvenir des mains magiques de Laurent et son corps souffrit d'un désir inassouvi. Elle songea aux paroles de

Laurent : « Ça promettait d'être merveilleux », et poussa un long soupir, en se demandant à quoi aurait ressemblé leur union.

Dans le but de vaincre sa mélancolie, la jeune femme sortit de son armoire une combinaison-pantalon en soie mandarine agrémentée d'une large ceinture qui affinait sa taille.

Tout à coup, elle entendit la voix surprise de son père résonner, puis une porte se refermer.

Il lui fallut tout son sang-froid pour ne pas se précipiter dans l'escalier. Jasmine se força à entrer dans la cuisine avec assurance. Une conversation animée l'y accueillit. Laurent et Cal lui sourirent à son arrivée. Une frêle jeune fille se tenait à leur côté. Elle avait un nez court et droit, comme celui de Laurent. Son épaisse queue de cheval auburn, la marque de l'héritage O'Brien, lui donnait l'allure d'une fillette. Cependant, Jasmine remarqua sa robe, qui épousait sa jeune poitrine, et aussi l'intérêt qu'elle prodiguait à Cal Robbins.

– Jasmine! s'écria son père, le visage épanoui. Je ne crois pas que tu connaisses la mère de Laurent, Fiona MacIntosh O'Brien.

Jasmine se serait attendu à voir une grande femme ; elle dut pourtant se pencher pour croiser le regard bleu clair de Fiona qui attirait la sympathie. Sa silhouette élancée et son étonnante personnalité en imposaient.

– Fiona, je vous présente ma fille.

Les années l'avaient épargnée, creusant toutefois quelques sillons fins autour des yeux et éparpillant des mèches grises dans sa chevelure brun foncé. Sa robe simple et bien coupée devait dépasser à elle seule la recette de son père, même les jours de record.

— Je suis ravie de vous voir enfin.

Fiona parlait d'une voix grave et pondérée. La façon dont elle avait dit « voir » et non « rencontrer » étonna Jasmine qui lui rendit son sourire.

— Laurent voulait passer prendre quelques affaires chez Cal. Alors nous avons décidé de dire bonsoir à votre père. Nous nous connaissons depuis longtemps, vous savez.

Elle sourit à Pops et regarda Jasmine d'un œil admiratif.

— En vous décrivant, mon fils était bien en dessous de la vérité.

Jasmine rougit sous le compliment.

— Je voulais que tu juges par toi-même, intervint Laurent.

Il n'avait d'yeux que pour Jasmine, s'attardant sur sa combinaison. Jasmine n'avait pas besoin d'un interprète pour comprendre le message qui se lisait dans la caresse de son regard.

— Jasmine, laissez-moi vous présenter ma fille.

Fiona appela la jeune fille qui se trouvait à l'autre extrémité de la pièce.

— Scotty, ma chérie, voici Jasmine Storms.

— Bonjour.

Jasmine se demanda quel âge pouvait avoir la petite sœur. Seize ou dix-sept ans ? Une constellation de taches de rousseur lui ornaient le nez et les joues.

— Bienvenue à Stockbridge, dit Jasmine en souriant, intriguée par la jeune fille. Vous devez être impatiente de retrouver vos amis de l'été dernier.

— La plupart sont passés me voir à la villa cet après-midi. Mais cette année, ils me paraissent si jeunes!

— Vraiment, Scotia?

Jasmine releva l'irritation que cette remarque avait provoquée chez Fiona.

— Je regrette, maman, mais les jeunes de Westport sont plus...

— Et puis quoi encore? l'interrompit Laurent en tirant les cheveux de Scotty qui tourna ses yeux surchargés de mascara vers Cal.

Celui-ci suggéra avec galanterie :

— Les goûts de Scotty ont peut-être changé.

Le regard reconnaissant qu'elle lui adressa s'emplit de venin pour affronter son frère.

— J'ai grandi, alors cesse de me traiter comme une gamine.

— Mais tu n'en demeures pas moins ma petite sœur, et puisque nous allons passer un mois sous le même toit, tu devrais faire des efforts.

Scotty s'agita comme un pantin et répondit par une grimace.

Cal brisa le silence en s'adressant à Jasmine.

— Merci pour les papiers peints que tu as choisis. Ils me plaisent tous, mais je crois que mon choix va se porter sur ces petits coquillages; tu sais, celui qui a un fond couleur sable...

— Mastic, rectifia Jasmine avec un sourire.

— Warren, vous avez une cuisine magnifique! s'écria Fiona en scrutant lentement la pièce.

Elle finit par s'asseoir sur le canapé recouvert de sa nouvelle housse.

Jasmine réagit à retardement. « Warren... » Personne n'avait appelé son père par son prénom depuis bien longtemps.

– Où as-tu trouvé ce tissu? s'enquit Fiona en palpant l'étoffe.

– C'est absolument superbe.

Pops répondit avec fierté.

– Ce modèle fait partie de la dernière collection dessinée par Jasmine.

– Voilà un travail épatant, dit Scotty en regardant Jasmine avec un intérêt tout nouveau. Vous avez fait des études de dessin?

Laurent répondit sur un ton badin :

– L'art ne s'apprend pas comme par miracle, petite idiote.

Elle lui envoya un coup de poing à la façon d'un garçon manqué.

– Que devient l'imprimé au rouge-gorge dont tu m'as parlé? se renseigna Cal.

– Je l'ai envoyé à l'usine pour faire exécuter la sérigraphie.

– Attendez de voir ça! dit Laurent à sa mère et sa sœur, l'air radieux.

Le plus naturellement du monde, il prit Jasmine dans ses bras tout en décrivant le motif du tissu.

– Quelle mémoire! s'exclama Jasmine.

– Et si on buvait quelque chose? demanda Jasmine.

– Je vous demande pardon, s'excusa Pops,

mais je manque vraiment à tous mes devoirs. La joie de vous revoir doit me troubler.

Fiona le suivit jusqu'au réfrigérateur.

Une bouteille de bière à la main, Laurent conduisit Jasmine à une chaise.

— Je suis venu vous voir ce matin après avoir terminé mes valises.

Il lui serra doucement la main.

— J'espérais passer un moment seul avec vous. Mais quand j'ai vu les voitures garées devant votre porte, je n'ai pas insisté. Pensez-vous que vous aurez autant de monde demain?

Jasmine prit le verre de mousseux que son père lui tendait et répondit :

— Je crois que oui. Voilà plusieurs jours que je n'ai pas eu le temps d'aller nager. Et vous, comment se déroule votre entraînement?

« Que de mondanités ! » songea-t-elle en cherchant son regard. Elle mourait d'envie de tendre la main pour le toucher. Au lieu de cela, elle termina doucement sa boisson pour se calmer les nerfs.

— Les deux semaines à venir s'annoncent difficiles. Cela signifie pour moi six à huit heures d'entraînement par jour. Je tenais à vous voir car je me rends à mon club demain après-midi pour jouer quelques jours avec un professionnel de Palm Beach. En effet, j'ai besoin de changer de partenaire. L'Open ne s'annonce pas comme une partie de plaisir et votre père se charge de me le rappeler. Mais je reste confiant et je gagnerai.

— Je maintiens que tu peux y arriver, intervint Pops, mais n'oublie pas qu'il va falloir jouer serré.

Puis il s'adressa à Fiona :

– Vous deviez être une excellente joueuse. Vous pratiquez toujours ?

– Non, pas depuis des années. Mes affaires m'occupent beaucoup trop. Et puis, je vieillis.

– Vous paraissez quarante ans à peine, dit Pops d'un ton admiratif et particulièrement heureux.

– J'aurai cinquante et un ans la semaine prochaine, rectifia Fiona dont le visage s'épanouit sous le compliment.

Jasmine renchérit :

– En vous regardant, on a envie de prendre de l'âge.

– Warren, votre fille a hérité de vous l'art de flatter.

– Elle ne dit que la vérité.

Cédant à l'impulsion, Fiona posa la main sur le genou de Pops et la retira aussitôt.

Scotty se retourna et demanda à Cal :

– Tu joues souvent ? Je veux dire, quand tu ne sers pas de partenaire à mon frère ?

– Pour l'instant ma vie sportive se résume à cela. Tu ne connais personne ici qui pourrait t'aider ?

– J'ai besoin de quelqu'un d'aussi fort que toi, insista-t-elle, l'air entêté.

– Je ferai une partie avec vous, si vous le voulez, proposa Jasmine, surprise de son offre.

Depuis que son bras avait retrouvé suffisamment de force pour manier la raquette, elle avait toujours refusé de jouer avec quelqu'un d'autre que Cal.

– Vous? s'exclama Scotty, interloquée.

Sans la provocation de cette remarque, Jasmine aurait été amusée par le scepticisme et le doute qui se lisaient sur le jeune visage couvert d'éphélides.

Pops intervint :

– Attention, elle vous réserve des surprises.

Jasmine décocha à son père un coup d'œil réprobateur mais Cal détourna son attention.

– Cette enfant a un revers à deux mains qui vous arracherait le bras. Si tu te sens prête, pense à ne pas trop serrer le manche de ta raquette.

Jasmine afficha un sourire détendu, maintenant qu'elle ne pouvait ni se souhaitait plus revenir en arrière.

– D'accord, accepta Scotty en secouant ses cheveux. Quand?

Pendant qu'elles s'organisaient, Jasmine entendait la voix grave de Laurent s'adresser à Cal, et elle observa l'attention avec laquelle son père écoutait Fiona.

Le téléphone sonna, tel un intrus.

– Je vous demande pardon, s'excusa Pops.

Il se leva et décrocha le combiné.

– Oh! Farrington!

Jasmine vit son père se crisper et changer de visage.

– Je vais y réfléchir. Non, je ne peux rien promettre de plus actuellement.

Après qu'il eut raccroché, un silence tendu s'établit. Laurent et Cal échangèrent un bref regard qui n'échappa pas à Jasmine.

– Je vous prie de bien vouloir excuser cette intrusion, dit Pops en s'efforçant de sourire. Et si nous buvions un autre verre?

– Je crois que nous ferions mieux de rentrer, rétorqua Fiona.

Elle ne parvenait pas à dissimuler totalement le regret qui se lisait dans ses yeux et Jasmine se demanda si tout le monde au village connaissait l'offre de Farrington. Après tout, cette femme travaillait dans l'immobilier.

– D'accord, maman, approuva Laurent. Je dois ranger mes affaires et je présume qu'il en va de même pour toi et Scotty.

Une fois la porte refermée sur leurs visiteurs, Pops fit volte-face :

– Farrington essaie de précipiter les choses. Il veut que je lui donne une réponse rapidement.

– Tu as pris une décision?

– Non, pas encore. Jasmine, ma fille, je ne me laisserai pas chasser de chez moi.

Le visage de son père exprimait une ténacité qu'elle lui connaissait bien.

Le lundi matin, à dix heures précises, Scotty attendait sur un banc devant les courts.

– Bonjour! cria Jasmine.

Il n'y avait pas un seul terrain de libre, mais les quatre joueurs sur le court central rangeaient leurs affaires et s'apprêtaient à partir.

– J'arrive à l'instant. Maman m'a dit qu'elle viendrait me chercher à onze heures et demie.

D'un pas souple, elle contourna le filet et gagna

le fond du court. Ses jambes nues paraissaient puissantes.

– On fait d'abord quelques échanges?

Jasmine sortit trois balles jaunes et en rangea une dans la poche de son short.

– D'accord.

Cheveux au vent, Scotty bondit dans tous les sens pour renvoyer la balle, maniant sa raquette au rythme d'un balancier.

Elles s'échauffèrent pendant dix minutes.

– On commence? demanda Jasmine en attendant que Scotty lui fasse signe. Tu sers la première.

Ce service de Scotty fut meurtrier. Jasmine renvoya le second, marquant ainsi le début d'un long rallye qui se termina par une amortie de Jasmine que Scotty, les jambes tremblantes, ne put rattraper. La jeune fille retourna de mauvaise humeur sur la ligne de fond. Cette fois, elle passa une balle de service irréprochable, prenant Jasmine au dépourvu. Celle-ci serra les dents, car si elle voulait battre la jeune fille, il lui fallait anticiper la trajectoire de ses balles et prolonger les échanges, peu importait comment. Avec son bras elle ne pouvait pas lutter contre des as. Elle devait marquer point par point, sans se permettre de perdre un service.

Scotty remporta le premier jeu. En ramassant les balles pour démarrer le second, Jasmine observa son adversaire qui ne devait pas mesurer plus d'un mètre cinquante-sept. C'est seulement à la fin du set que Jasmine réussit à prendre l'avantage, et encore parce que sa partenaire renvoya la balle avec maladresse.

Jasmine fit une double faute dès la reprise du match. Furieuse contre elle-même, la jeune femme se concentra.

– Pourquoi n'essayez-vous pas de frapper plus fort? cria Scotty.

Jasmine jura intérieurement en envoyant la balle dans le ciel bleu azur. Une poussée d'adrénaline afflua dans ses veines. Elle n'allait tout de même pas courir le risque de se faire mal au bras! En comptant sur sa résistance physique, elle pourrait avoir raison de Scotty. 2-0, 3-0 et, avant que la jeune fille ait le temps de comprendre ce qui arrivait, 5-0. Pour gagner, il lui fallait reprendre le service. Elle remporta le set 6-0.

– Bravo!

Jasmine se retourna et rejeta ses cheveux en arrière.

De l'autre côté de la clôture, Fiona O'Brien surgit de l'ombre.

– Bonjour, maman!

Scotty traversa le court en courant. Son visage cramoisi et ruisselant de sueur se tordit de dépit :

– Je viens de me faire battre à plates coutures.

– Jasmine a dû excessivement bien jouer pour te démoraliser.

– Elle m'a ridiculisée. Dommage que son service soit minable, soupira Scotty avec la spontanéité de la jeunesse.

– Mais il a suffisamment bien marché pour qu'elle te batte, lui rappela sa mère en regardant

Jasmine qui réprima sa susceptibilité. J'entraîne cette championne en herbe depuis des années et elle m'a rarement laissé l'occasion de gagner. Scotty a la ferme intention de marcher sur les traces de son frère. Seulement pour cela, il lui faut un entraînement beaucoup plus intensif que ni Laurent ni moi n'avons le temps de lui assurer.

Elle jeta un coup d'œil sur sa fille et ajouta :

— Scotty serait ravie si vous pouviez vous libérer de temps à autre pour jouer avec elle.

— Pourquoi pas demain? renchérit immédiatement la jeune fille, sans prêter attention à l'air maussade de Jasmine qui capitula en promettant :

— D'accord. Demain, à la même heure.

Au volant de sa voiture, elle regarda la pendule de son tableau de bord. Elle avait largement le temps d'aller nager avant l'ouverture du magasin. En outre, elle avait une bonne raison pour se refaire des muscles et ne pouvait se permettre de négliger les bienfaits de l'eau. A sa grande surprise, Jasmine comprit qu'elle avait très envie de disputer un autre match avec Scotty.

Le lendemain, la partie débuta exactement comme la veille. Scotty jeta sa raquette de dégoût après que Jasmine eut remporté le point final, portant le score à 6-4.

— Scotty, tu aurais pu avoir cette balle. Je vais essayer de recommencer. Il ne faut pas me regarder, mais te concentrer sur le mouvement de rotation de mes épaules.

Ignorant l'air boudeur de la jeune fille, Jasmine retourna sur la ligne de fond et se prépara au service. Suivant ses conseils, Scotty frappa si fort qu'elle perdit l'équilibre et tomba.

– Passons maintenant au revers, dit Jasmine.

A nouveau, les réflexes de Scotty fonctionnèrent de façon foudroyante. Elle bondit de joie.

– Tu y es, lui dit Jasmine qui s'amusait beaucoup. Il faut toujours anticiper, voilà le secret. Maintenant, tu sers sur mon coup droit et je renvois en croisé. Regarde bien mon bras et mon poignet.

Elles tapaient toujours dans la balle quand Fiona arriva.

– Maman, regarde! cria Scotty en agitant sa raquette avec exubérance. Jasmine m'a donné des tuyaux en or.

Sur ce, elle fit une démonstration à sa mère.

– Tu as vu ce lift? Elle m'a tout expliqué.

Fiona sourit à sa fille.

– Jasmine a l'étoffe d'un entraîneur. Laurent a toujours assimilé les règles du tennis d'instinct, sans un effort. Mais pour les transmettre... Disons seulement qu'il manquait de patience pour sa jeune sœur. Heureusement pour Scotty, vous semblez n'en pas manquer, ni de talent non plus.

– Ce n'est pas sorcier de donner quelques trucs, répondit Jasmine. Le tout, c'est de pouvoir les mettre en pratique.

Scotty vouait à Jasmine une admiration sans bornes.

– Vous voulez bien me donner un autre cours demain avant le retour de Laurent? Je meurs d'envie de l'épater.

« Il faudrait que je me prépare pour mes nouvelles fonctions, se dit Jasmine sur son vélo, en allant retrouver Scotty. Suis-je faite pour l'entraînement ? » D'abord décontenancée, elle reconnaissait petit à petit que la remarque de Fiona n'était pas dépourvue de bon sens. « Sinon comment expliquer que je sacrifie mes matinées si précieuses pour donner des cours à une enfant promise à un bel avenir ? » Perdue dans ses pensées, la jeune femme se remit à pédaler, cheveux au vent. Si elle ne pouvait plus jouer à titre professionnel, cela ne l'empêchait pas de partager son savoir. Elle appuya sa bicyclette contre un des vieux ormes et chercha son élève des yeux.

– C'est sympa de votre part de revenir aujourd'hui, lui dit la jeune fille. Il fait au moins trente à l'ombre. J'ai mis en pratique tous vos conseils.

La transpiration faisait fondre son mascara, ce qui lui donnait un regard fatigué en contradiction avec son sourire ingénu.

Stimulée par son rôle d'entraîneur, Jasmine se mit en position de retour de service. Puis elle montra à Scotty comment renvoyer une balle amortie.

– Voilà Laurent, s'écria Scotty. Et si on lui donnait un aperçu de mes progrès ?

Le cœur de Jasmine battit à tout rompre quand elle vit Laurent s'approcher du court. La tête contre le grillage, il esquissa un sourire en détaillant la silhouette de Jasmine, mise en valeur par son short ajusté et son haut moulé.

– Que pouvez-vous me montrer de plus?

Malgré sa voix blasée, ses yeux exprimaient tout autre chose.

La vue de Diana, perchée sur ses hauts talons, ramena Jasmine à la réalité. La lueur de désir qu'elle lisait dans ses yeux la rendit furieuse, car même si Diana ne pouvait rien voir, il ne fallait pas oublier Scotty. Elle lui adressa un bref signe de la tête, quelque peu troublée. Ne tenant pas en place et imperméable à tout ce qui l'entourait, Scotty ne s'intéressait qu'à la balle.

Dès l'instant où la raquette de Jasmine s'anima, elle oublia l'environnement pour se laisser envahir par le plaisir qu'elle éprouvait à jouer contre un adversaire jeune et plein d'agressivité. Trois journées de tennis avaient contribué à lui redonner la confiance dont elle avait tant besoin. Elle évoluait avec grâce, montant au filet jusqu'à ce qu'elle remporte la partie avec un lift impitoyable.

Scotty laissa tomber sa raquette.

– J'aurais dû anticiper ce coup.

– Oui, effectivement, approuva Jasmine qui utilisait les mêmes mots tranchants que son père avait employés dix ans plus tôt.

– Recommençons. Et n'oublie pas ton jeu de jambes.

Cette fois, Scotty réussit à se positionner après avoir calculé la trajectoire. La balle passa le filet en le rasant.

– Pas assez fort, mais c'est correct. Tu vas y arriver.

Jasmine fit un signe de tête, éprouvant la même fierté pour son élève que s'il s'agissait de sa propre fille. La petite sœur de Laurent avait la résistance physique et les bons réflexes au bon moment.

– Ça marche bien! s'exclama Laurent.

Jasmine tourna la tête et sentit son estomac se nouer en voyant Diana, assise sur un banc. Elle commenta d'une voix alanguie :

– Voilà un spectacle presque aussi futé que celui que Laurent nous a offert sur le terrain de golf.

Ses yeux glissèrent de Jasmine à Scotty.

– Tu veux devenir championne, comme ton frère?

La jeune fille ne répondit pas. Le visage rayonnant, elle s'arrêta et expliqua, essoufflée :

– Jasmine m'a entraînée.

Laurent attira sa sœur et la serra très fort dans ses bras en disant :

– Continue comme ça et tu deviendras peut-être suffisamment forte pour la battre.

Par-dessus l'épaule de sa sœur, il observa Jasmine avec étonnement.

– Pops ne m'a jamais dit que vous jouiez aussi bien.

– Je me surpasse grâce à Scotty. J'aime beaucoup jouer avec elle.

« Pourquoi est-ce que je n'arrive pas à utiliser le mot " entraîner " ? » songea Jasmine, amère.

– A la semaine prochaine, Scotty?

– Pops ne t'en a jamais parlé? lança Diana, ses

yeux bleus comme de la porcelaine fixant Laurent.

Calmement, elle se leva du banc et s'avança vers Jasmine, une expression maligne au visage :

— Je n'arrive pas à y croire. Vous voulez dire que vous ne savez pas que Jasmine Storms a disputé tous les tournois des juniors ?

Jasmine ignorait le but précis de Diana mais elle songea : « Que le diable m'emporte si je la laisse s'en sortir à si bon compte. » Elle rectifia :

— Tu n'as sûrement pas voulu me dévaluer, Diana, mais pour remettre les choses à leur place, non seulement j'ai joué mais je les ai aussi gagnés, ces tournois, y compris le championnat d'État.

— Sans blague! s'exclama Scotty. Quand ?

— Il y a longtemps, avant l'université, répondit Jasmine en s'efforçant de sourire.

Elle rangea sa raquette et enfourcha son vélo tandis que les battements de son cœur lui déchiraient la poitrine.

Une main ferme s'abattit sur son bras et l'arrêta :

— J'aurais dû le deviner, dit Laurent avec un sourire. Jouez encore un peu. J'aimerais tant vous regarder...

— Non, pas aujourd'hui, répondit Jasmine sans laisser à Scotty le temps d'accepter. Pourquoi quelqu'un comme vous souhaiterait-il voir un amateur comme moi ?

— Vous jouez en professionnelle, mais..., curieusement, votre service est un peu mou par rapport à votre jeu. Surtout, ne le prenez pas mal.

106

Jasmine baissa les yeux, furieuse de ne pouvoir réprimer un tremblement. Il continua :

– Vous avez de la classe et avec un bon entraînement, vous pourriez remédier à cette faiblesse.

La gentillesse de Laurent l'énerva. Elle se calma et expliqua :

– Je me suis blessée au bras, dans un accident de voiture alors que je fréquentais encore le lycée. Cal conduisait, mais la pluie d'été avait rendu les routes glissantes.

Laurent la dévisagea et remarqua la petite cicatrice, au-dessus de sa bouche. Il fit observer d'une voix laconique :

– Quelle malchance! Vous auriez pu aller loin.

A son regard, Jasmine sut qu'il compatissait.

– Mais elle a remporté le championnat d'État, s'écria Scotty, ébahie.

L'œil perçant de Diana passa du frère à la sœur, puis elle s'adressa à Jasmine, légèrement agacée :

– Mon père et moi avons l'intention d'organiser un cocktail le dimanche précédant l'Open, pour toutes les personnes concernées par ce tournoi : entraîneurs, sponsors, sans oublier les joueurs bien sûr. J'aimerais beaucoup que tu viennes avec ton père.

Jasmine riait sous cape. « Alleluia! J'ai réussi! » En voyant Laurent froncer les sourcils, elle sut qu'il n'était pour rien dans cette popularité soudaine. Une ancienne championne ne pouvait que contribuer à rendre cette soirée encore plus prestigieuse. La jeune femme se mordilla la lèvre inférieure pour mieux réfléchir.

– Je te remercie, mais je te donnerai ma réponse plus tard. Le dimanche est toujours une rude journée.

– Comme tu voudras.

Diana haussa les épaules en sortant un trousseau de clés de sa poche qu'elle agita au bout de son index savamment manucuré. Elle lança un regard à Laurent et demanda :

– Vous êtes prêts, Scotty et toi ?

– Nous pouvons vous déposer quelque part ? On pourrait mettre votre bicyclette dans le coffre.

Jasmine contempla son vélo poussiéreux puis la Cadillac décapotable et elle prit sa décision en l'espace de quelques secondes. Laurent rangea l'engin et invita Jasmine à prendre place sur le siège arrière. Scotty grimpa à l'avant et ne prêta pas la moindre attention au regard irrité de Diana.

– Je voudrais que nous passions une soirée ensemble.

Laurent prit la main de Jasmine. Ses paroles chuchotées à son oreille donnèrent à ses propos une tonalité sensuelle.

– Mais Farrington souhaite ma présence au dîner de ce soir, car il reçoit deux sponsors avec qui il travaille pour la première fois. Vous savez, le tennis est devenu une affaire de gros sous de nos jours, et participer à des tournois par-ci, par-là ne suffit plus. Il faut également savoir se rendre disponible si vous voulez qu'on vous soutienne financièrement.

Il se rapprocha d'elle :

– J'aime vous avoir près de moi. Cela me détend avant l'entraînement.

– Je peux venir? demanda Scotty en se retournant.

– Seulement si tu gardes tes commentaires stupides pour toi quand je rate une balle.

Avec malice, Laurent tira d'un coup sec la queue de cheval de sa sœur.

Devant le Pays d'antan, Scotty regarda son frère décharger la bicyclette et le suivit jusqu'à la grange. Jasmine et Diana leur emboîtèrent le pas.

Pops surgit en s'essuyant les mains sur un tablier :

– Est-ce que ce gars de Palm Beach t'a montré quelques-unes de ses bottes secrètes que ni Cal ni moi ne connaissons?

L'espace d'un instant, le regard de son père erra à la recherche de quelqu'un d'autre.

– Les coups que vous ignorez n'existent pas encore, dit Laurent avec simplicité.

Son père n'attendait pas de compliment et Laurent n'essayait pas de le flatter, mais le regard qu'ils échangèrent trahissait un profond respect mutuel.

Laurent s'adressa à Scotty et à Diana :

– Pourquoi n'allez-vous pas voir si Cal est prêt? Je dois parler à Pops.

Jasmine regarda la pendule de la cuisine en remplissant la bouilloire. « Voilà déjà vingt minutes qu'ils discutent. » Laurent lui tournait le dos et le visage de son père avait pris une expression de gravité inhabituelle. « Il lui demande peut-être ma main. » Puis elle se reprit immédiatement et murmura « Que se passe-t-il, ma grande ? Tu as pris une insolation ? » Elle écouta la conversation.

– Je vous approuve totalement car il s'agit d'une décision difficile. La valeur de votre terrain dépasse tout ce que l'on peut imaginer pour le moment, mais un jour, il peut se dévaluer. Or Farrington vous fait une offre tentante et généreuse. D'un autre côté, Cal ne vous a rien promis de concret et vous ignorez si sa proposition vaut la peine d'attendre. Je vous demande pardon de me répéter comme un vieux disque rayé, mais je ne voudrais pas que vous abandonniez tout ceci pour une bouchée de pain.

Pops s'agita sur sa chaise.

– Rien ne me presse et Cal me fera une offre convenable dès qu'il le pourra.

– Je n'en doute pas.

Sa voix avait un accent d'honnêteté et il posa la main sur l'épaule de Pops.

– N'oubliez pas que vous possédez une propriété fantastique dans le quartier le plus chic du Berkshire. Il faut jouer serré et vendre au plus offrant dans les meilleures conditions possibles.

Pops répondit en donnant une tape amicale sur le bras de Laurent :

– J'apprécie l'intérêt que tu me portes. Ne t'inquiète pas pour moi.

Les yeux voilés de Jasmine suivirent son père jusqu'à ce qu'il disparaisse au coin de la terrasse pour aller à la grange. Quelque chose se noua dans sa gorge lorsqu'elle vit le dos voûté de son père, ce qui eut l'effet d'un détonateur. Tandis que Laurent descendait les marches de la terrasse, elle hurla :

– Attendez un peu !

– Jasmine !

Son sourire s'évanouit quand il vit des larmes de colère briller dans ses yeux.

– Qu'avez-vous ?

Jasmine le regarda fixement, incapable d'exprimer son indignation. Elle était furieuse d'avoir cru qu'il n'avait rien à voir avec l'offre de Farrington. Elle réussit à dire d'une voix étranglée :

– Je vous ai entendu conseiller à mon père de choisir l'offre la plus... élevée. Quelle imbécile je fais ! Pourquoi refusez-vous d'admettre que vous courez après les dix pour cent de commission ? Ou peut-être plus en raison de votre lien de parenté avec Farrington ?

D'un bond, Laurent l'avait rejointe. Elle sentit son haleine chaude sur son visage tandis qu'il la secouait brutalement. Ses yeux lançaient des éclairs bleu acier.

– Ça suffit, maintenant, dit-il d'une voix grinçante. Je ne suis plus son gendre et je n'accepte de faveurs de personne.

– Pourquoi vous mêlez-vous des affaires des autres ?

Elle resta indifférente aux picotements chauds que les doigts de Laurent provoquaient.

– Mon père sait ce qu'il doit faire. Alors pour

quelle raison faut-il que vous semiez la pagaille partout où vous passez?

En croisant son regard furieux, Jasmine baissa la tête et laissa échapper, désespérée :

– Qui sait? Cal peut tout aussi bien lui faire l'offre la plus intéressante...

Laurent la lâcha brusquement.

– D'accord, s'il vous plaît d'appeler l'intérêt honnête que je porte à votre père de l'immixtion, ne vous gênez pas. Mais sachez que l'appât du gain ne me dicte pas mes actes. Pour tout vous dire, je n'aime pas l'idée d'une fusion de terrain avec Robbin Roost, car je ne veux pas que vous vous sentiez redevable.

– Je ne vois pas pourquoi vous parlez d'engagement.

Il lui jeta un regard pesant.

– Vraiment pas?

Jasmine rougit quand elle comprit que Laurent était jaloux. Elle releva le menton et répondit sur un ton dégagé :

– Et que se passerait-il si je le savais?

Laurent la tira d'un geste brusque contre lui.

– Je n'ai pas encore le droit de...

Ses paroles s'évanouirent dans un souffle.

– Que voulez-vous dire?

Les bras de Laurent tremblèrent en se resserrant autour d'elle et Jasmine songea : « Que le Ciel me vienne en aide! »

La voix de Laurent se perdit dans ses cheveux.

– Vous m'avez terriblement manqué ces derniers jours et maintenant, il faut que je vous quitte

112

à nouveau. Demain jeudi, comme d'habitude, je dois aller à mon club et de là je pars directement à Boston pour une série de matchs d'exhibition.

— Nous revoilà! cria Scotty en surgissant sur le chemin.

Jasmine s'arracha à Laurent, le cœur battant. La jeune fille bondit sur la terrasse et s'écroula sur une chaise.

— Nous allons prendre la voiture de Diana.

Elle tira de son petit sac son nécessaire de maquillage et retraça son trait d'eye-liner qui avait coulé sous la chaleur. Scotty fit vivement disparaître sa trousse au moment où Cal et Diana apparaissaient à leur tour.

— Prêts? demanda la sœur de Laurent. Allons chercher Pops. Pardon..., je veux dire M. Storms.

Diana prit Laurent par le bras mais ce dernier se dégagea d'un mouvement à peine perceptible. Elle adressa à Jasmine un regard aussi creux que sa voix.

— Quel dommage que tu ne puisses nous accompagner!

Découragée, Jasmine courut retirer la bouilloire qu'elle avait oubliée sur le feu. Le son cristallin du carillon accroché dans l'entrée résonnait dans la maison vide.

7

En entrant dans la grange pour prendre un lavabo que son père avait retapé, Jasmine fut frappée par l'odeur d'humidité.

Dans un coin, elle découvrit le fauteuil dissimulé sous un drap que Pops avait banni de la maison sous le coup de la douleur. Comme des pattes velues, les pieds de devant dépassaient de la housse. Jasmine songea à sa mère qui vouait un soin tout particulier à ce siège et jugea tout à fait déplacé de le laisser là. Quel gâchis! Si Pops n'en voulait plus, pourquoi ne pas le vendre? Des meubles du XVIIIe siècle, rares et en parfait état, cela représentait une valeur de premier ordre sur le marché des antiquaires.

Les années avaient laissé les sculptures minutieuses intactes, le bois patiné par le temps ayant pris une nuance ambrée. Soudain, Jasmine eut la conviction d'avoir vu un modèle absolument identique dans la revue *Antiquités*. Il s'agissait d'un Chippendale.

La vente de ce fauteuil permettrait à son père de refuser l'offre de Farrington. Ce serait l'ultime présent de sa mère. De plus en plus fébrile, elle caressa les volutes en bois. L'atmosphère qui régnait dans la grange ne convenait pas à ce trésor et elle décida de demander à son père de le transporter dans un lieu plus approprié.

Assise en tailleur sur le tapis au milieu d'une pile de revues spécialisées, Jasmine sentait sa joie augmenter au fur et à mesure qu'elle feuilletait les magazines. Aucun doute possible : le fauteuil de sa mère était le parfait sosie du modèle représenté sur la photo et il remontait à peu près à 1787.

Elle descendit l'escalier en courant et fit claquer la revue sur la rampe d'un geste triomphal. Cette nouvelle transformerait la vie de son père. Ce matin-là, au petit déjeuner, il avait parlé, mais sans conviction, d'inviter Fiona pour son anniversaire. Peut-être était-il simplement fatigué

Jasmine retourna à la grange, son esprit vagabondant de son père à Laurent et de Laurent à Cal. La veille, celui-ci l'avait accompagnée à New York chiner dans le magasins de la Troisième Avenue à la recherche de meubles pour Robbin Roost. Ensuite, ils avaient dîné à la terrasse d'un charmant petit restaurant. Sous les rayons opale de la lune, les tours de Manhattan se détachaient sur le ciel d'encre. Jasmine n'avait pas résisté à cette atmosphère si romantique.

A la lueur de la bougie, le visage viril de Cal lui avait paru incroyablement beau et attirant. A la différence de Laurent, Cal lui avait souri tendrement en parlant de l'expansion future de Roost si un lien personnel les unissait.

Les yeux fermés, la jeune femme appuya le magazine contre sa joue. «Allez au diable, Laurent, songea-t-elle. Pourquoi me persécutez-vous, à la fin?»

Agenouillée, elle examina avec les yeux d'un professionnel le Chippendale et en prit les mesures avec un mètre métallique. Les proportions correspondaient au millimètre près à l'original. Des acanthes délicates à la dentelle qui recouvraient le dossier jusqu'aux feuilles sculptées sur les pieds, tout paraissait identique. Elle décida de le faire expertiser avant de le confier à une salle des ventes.

– Jasmine?

L'ombre de Diana apparut dans l'embrasure de la porte.

– Que fais-tu accroupie par terre?

Jasmine se releva précipitamment, toujours déroutée par le sans-gêne de la jeune femme qui souriait, sans quitter le fauteuil des yeux.

– Il irait à la perfection dans la nouvelle bibliothèque de papa qui vient de la remeubler, tout en bois foncé, en cuir et avec des meubles monumentaux.

Jasmine tressaillit en voyant Diana planter un doigt profanateur dans les sculptures. Elle répondit sèchement :

– Cela ne lui plaira sûrement pas.

Elle eut la chair de poule à l'idée que Dan Farrington puisse s'asseoir sur un tissu aussi délicat.

– Voilà son jumeau, dit-elle en exhibant la photographie de la revue. Comme tu peux le voir, ce siège a sa place dans un musée.

Perpétuellement sur les traces de Laurent, Diana changea de conversation.

– Il doit sûrement être rentré de Boston, maintenant. Il pourrait au moins nous prévenir, papa et moi. Je suis passée à sa maison du lac, mais il n'y a personne.

– Il s'entraîne peut-être

Rejetant une de ses mèches, Diana regarda Jasmine droit dans les yeux.

– Mon père veut absolument lui parler. Si tu le vois, veux-tu lui laisser mon message?

Et elle repartit.

Jasmine hocha la tête, en entendant Diana saluer son père qui venait de paraître à la porte de la grange. Elle lui fit signe de venir la rejoindre.

– Je suis contente que tu rentres tôt. J'ai quelque chose à te montrer.

– Il faut que je me mette sur mon trente-et-un pour emmener Fiona au restaurant.

Il la suivit.

– Papa, regarde.

– Que veux-tu en faire?

Fièvreusement, elle lui raconta sa découverte.

– C'est la réplique exacte. Il doit valoir au moins entre soixante-dix et quatre-vingt mille dollars, peut-être plus. Cela ne sert à rien de le garder dans la grange et si tu n'en veux plus, autant le vendre.

Elle reprit sa respiration et ajouta sans ambages :

— L'argent que tu peux en tirer te permettra de dire à Farrington d'aller voir ailleurs.

A bout de souffle, Jasmine guetta un signe de satisfaction sur le visage de son père. Devant son manque de réaction, elle demanda :

— Que se passe-t-il? Tu ne crois pas que maman...

Pops répondit d'une voix brusque :

— Non, Jasmine. Tout ceci n'a rien à voir avec ta mère et ce siège ne représente qu'un objet à mes yeux. Fais-en ce que tu veux. Je ne peux plus retarder le moment de donner une réponse à Farrington.

Les muscles de ses joues tremblèrent et il ajouta :

— Allons prendre un café car j'ai besoin d'un remontant.

Tandis que Jasmine déposait les tasses brûlantes sur la table, Pops réapparut, fin prêt pour la soirée. Elle s'écria avec un large sourire :

— Tu es très chic!

Il prit un air penaud tout en taquinant sa barbe. Jasmine ne l'avait pas vu aussi bien habillé depuis longtemps. Il portait une veste de sport d'une couleur vive sur une chemisette et un pantalon noir.

En dégustant son café, elle poursuivit son idée :

— Ne crois-tu pas que nous devrions remettre le fauteuil dans la maison pour qu'il soit à l'abri de l'humidité?

– Tu as sans doute raison. Mais il faut d'abord que je le nettoie.

– Tu n'as pas l'air de croire que la vente du fauteuil pourrait résoudre tes problèmes.

Elle posa sa tasse et prit la main de Pops.

– Bien sûr, rien ne nous garantit que nous trouverons preneur au prix souhaité, mais d'un autre côté, il s'agit d'une pièce rare du XVIIIe siècle. N'importe quel collectionneur un tant soit peu sensé paiera le prix fort, parce que ce fauteuil représente un investissement solide.

L'inquiétude l'assaillit quand les doigts de son père se crispèrent sous les siens. Derrière sa tasse où fumait le café, ses yeux paraissaient plus sombres que le breuvage.

– Que se passe-t-il?

– Farrington est venu me voir hier soir. Il est pressé d'installer sa galerie d'art et m'a laissé une semaine pour me décider. Sinon il cherchera un autre terrain.

– Qu'il le fasse!

Son père étudia le visage de sa fille, espérant qu'elle le comprendrait.

– Je ne peux pas courir ce risque, répondit-il avec lassitude. En outre, il n'y a rien de sûr avec ce fauteuil.

– J'ai la conviction que nous trouverons un acquéreur. En attendant, pourquoi ne me laisses-tu pas...?

Devant la lueur de mécontentement qui passa dans les yeux de son père, Jasmine ravala sa phrase et s'empressa d'improviser :

120

– Laisse-moi au moins le temps de prendre contact avec les salles des ventes. Dan Farrington n'est peut-être pas aussi inflexible qu'il le prétend.

– Il ne pense qu'à faire fructifier son capital.

– Je me demande parfois ce qui rattache encore Laurent à Diana. Cela ne me concerne pas, mais...

Elle regarda son père d'un air candide, avant d'ajouter :

– La fortune de son père doit être l'une de ses grandes séductions.

– Tu parles pour Laurent?

Un étonnement mêlé d'amusement se lisait sur le visage de Pops qui répondit sèchement :

– Non, pas du tout! Dès le début, Fiona a financé ses déplacements pour les tournois car elle avait confiance en son avenir. A vingt-deux ans, Laurent voulait déjà ramasser beaucoup d'argent et ne se souciait pas le moins du monde de Diana.

D'une voix bourrue, il ajouta en enfilant son veston :

– Quand on passe autant d'années que moi dans une petite ville, on apprend à faire la part des choses entre les commérages et la vérité. Je ne peux te laisser nourrir des idées fausses sur Laurent.

Une chaleur délicieuse et troublante envahit Jasmine.

Le bruit sourd d'une portière de voiture résonna.

– La voilà!

Pops sauta sur ses pieds avec une agilité inhabituelle. Jasmine vit Laurent ouvrir la portière pour laisser descendre sa mère. Il portait un short blanc et l'un de ses polos aux initiales L.O.B.

Fiona précéda les hommes en entrant dans la cuisine et échangea une poignée de main ferme avec le père et la fille, un large sourire aux lèvres.

– Jasmine, quel plaisir! Laurent prétend que je suis une entêtée parce que je ne veux pas faire installer le téléphone à la villa. Cela lui permet de rendre des visites, ce qu'il adore.

– Joyeux anniversaire! dit Pops.

Spontanément, Fiona lui déposa un baiser furtif sur la joue. Jasmine tendit un paquet enveloppé dans du papier cadeau.

– Laurent m'a dit que vous collectionnez les Staffordshire noir et blanc. J'aimerais que vous acceptiez ceci.

– Comme c'est gentil de votre part!

– Merci. Laurent m'a offert une soupière Staffordshire ce matin. Mais je parie que c'est vous qui l'avez choisie, n'est-ce pas?

Avec simplicité, elle prit le visage de la jeune fille entre ses mains et l'embrassa. Elle esquissa un demi-tour et regarda Pops.

– Et bien, Warren? Nous partons?

Après leur départ, Laurent expliqua :

– Je dois bientôt aller m'entraîner, mais il faut que nous parlions de vos relations avec Cal.

Laurent fit les cent pas dans la pièce puis il plongea ses yeux dans les siens.

– Vous m'avez avoué l'autre jour que Cal conduisait la voiture, au moment de votre accident.

– Et alors?

Jasmine se raidit, ébranlée par l'intensité de son regard.

– Ne croyez pas que je me mêle une nouvelle fois de votre vie. C'est vous qui m'en avez parlé la première, vous vous souvenez? Depuis, j'ai beaucoup réfléchi et je trouve étrange que malgré l'amitié qui nous unit, Cal n'y ait jamais fait allusion.

– Vous n'en connaissez pas les circonstances..., rétorqua Jasmine en se demandant si la douleur se voyait. Je vous ai simplement raconté qu'il pleuvait, cette nuit-là. Cal me ramenait chez moi quand nous avons dérapé et... nous avons percuté un arbre.

Sa respiration devint désordonnée et sa voix se brisa.

– Tout ceci aurait pu ne jamais arriver si mon mari avait été présent, et nous aurions peut-être quitté la soirée plus tard, pris une autre voiture ou emprunté un autre chemin.

Laurent protesta vivement :

– Je vous défends de parler de la sorte.

– J'ai tourné et retourné la question dans ma tête, continua Jasmine sans avoir entendu sa remarque, pour trouver le responsable de ce qui a bouleversé ma vie. Mon mari, qui s'intéressait plus au tennis qu'à sa femme, ou moi, pour ne pas avoir su convaincre Cal d'attendre la fin de ce terrible orage?

Puis elle éclata de rire.

– Qui sait? Sans ce coup du sort, j'aurais pu laisser mon nom dans le tennis féminin plutôt que sur des tissus.

– Le cynisme vous va mal. Vous vous apitoyez sur votre sort.

Cédant au défi lancé par Laurent, Jasmine dit d'une voix étranglée :

– Vous vous trompez complètement. Je ne m'apitoie pas sur moi, mais sur Cal.

Laurent la regarda en silence. Visiblement il la croyait sincère. Il demanda en soupirant :

– Il connaît vos sentiments?

– Bien sûr que non!

– Le mutisme de votre père me choque énormément.

– Il ne fait que respecter mon souhait. Je vous en supplie, pouvons-nous changer de conversation?

– Si vous voulez, mais je ne vous approuve pas.

Jasmine ferma les yeux et dit :

– Cette affaire n'a rien à voir avec vous.

– Et Cal?

– Il sait que je refuse d'en parler.

Elle vit l'effort surhumain que fournissait Laurent pour se maîtriser. Il s'écria :

– Vous refusez vraiment d'en parler? Avez-vous seulement pensé à lui?

Jasmine se mordit les lèvres.

– Je ne veux pas qu'il souffre davantage.

Laurent prit une voix catégorique :

– Cal vous inspire de la pitié parce qu'il se

trouve être le catalyseur de ces événements, mais il voit les choses en face, lui. Il préfère sûrement oublier cette histoire, mais vous ne lui en laissez pas l'occasion, en le culpabilisant. Comme si le tennis importait plus que la vie.

— Vous êtes mal placé pour juger, rétorqua Jasmine, indignée. Vous qui vivez pour le tennis, vous ne pouvez pas comprendre ce que je ressens. Le destin ne vous a jamais amené à faire des concessions, et vous vous donnez corps et âme à votre sport, sans vous intéresser à autre chose.

— C'est faux et vous le savez, lui répondit Laurent en la regardant droit dans les yeux. Pour l'instant le tennis est mon métier et j'y trouve une motivation.

— Vous avez soigneusement organisé votre existence, sans laisser de place pour l'erreur... ou pour un éventuel accident.

La jeune femme ne fit rien pour lutter contre la colère qui la gagnait.

— Tout se déroule exactement comme vous l'avez prévu. Je n'ai pas eu cette chance, moi.

Elle se retourna et ajouta dans un murmure :

— Mon dieu! Serais-je déjà aigrie?

— Jasmine!

Il la prit dans ses bras et lui caressa le dos. Le contact de ses doigts lui brûla la peau à travers le fin tissu de son chemisier. Elle ne put soutenir le regard de Laurent, où elle lisait un mélange de tendresse et d'irritation. Il lui dit d'une voix calme :

— A cause d'un accident stupide qui vous a privée de la carrière dont vous rêviez, vous vous prenez pour une handicapée. Vous n'en demeurez pas moins une sportive accomplie qui a dû modifier ses projets.

De nouveau, la voix de Jasmine trahit l'amertume :

— Vous devez ressentir une grande joie à si bien dominer les événements.

Laurent réduisit sa résistance au silence en lui appliquant un doigt sur la bouche.

— Je devine qui vous a mis cette bizarrerie dans la tête, et je lui tordrais le cou avec plaisir.

Il déposa un baiser sur sa gorge :

— Laissez-moi vous emmenez loin d'ici pour quelques jours. Demain, nous irons à mon club de Ponterery car je tiens à ce que vous connaissiez cette partie de ma vie. Je veux vous prouver à quel point vous vous méprenez sur mon compte.

— Pourquoi faire? demanda Jasmine dans un souffle.

En guise de réponse, les lèvres de Laurent trouvèrent la bouche de Jasmine tandis que ses doigts erraient dans sa chevelure. Ce baiser langoureux se fit persuasif en remontant sur ses tempes, sur son front, pour enfin effleurer ses paupières closes.

Les sens de Jasmine réagirent à son odeur virile et elle se blottit plus près, comme attirée par un aimant.

— Non, gémit-elle, je vous en prie. Vous me faites perdre la tête.

Les lèvres de Laurent dévorèrent les siennes

126

avec avidité, tandis que ses mains lui emprison-
naient les hanches, attirant d'autorité son corps
contre le sien.

Elle tenta de se dégager, puis se mit à mordiller
la bouche de Laurent avec passion, ce qui intensifia la fièvre qui les embrasait tous deux.

Au moment où ses doigts experts partaient en
quête de ses seins, il se ressaisit et balaya les
mèches qui couvraient le front de Jasmine.

– Attendons demain. Vous voulez bien
m'accompagner?

– Oui, à demain, répondit-elle avec un timide
sourire.

Il déposa un baiser sur sa joue et sortit. Abasourdie, Jasmine porta la main à son visage
encore humide de ses baisers. « Le sort en est jeté,
se dit-elle, tu ne peux plus reculer. »

8

Jasmine reconnut à grand-peine Ponterery. Là où autrefois s'étendaient quatre courts de tennis de gazon, aussi épais que du velours, il y en avait trois fois plus, l'ensemble entouré par des bâtiments qui abritaient d'autres terrains couverts.

Seule l'atmosphère guindée de ces lieux et la vue imprenable sur la mer restaient intactes. Elle éprouva un plaisir intense à regarder les reflets du soleil sur l'océan.

— Malgré ces changements, Ponterery a toujours autant de classe, dit Jasmine en soupirant.

La Jaguar de Laurent emprunta une allée résidentielle.

— Vous m'emmenez en excursion ou bien vous prenez le chemin de votre maison?

— Disons, les deux à la fois, répondit Laurent avec un sourire radieux.

Jasmine admira les vieilles demeures élégantes, alignées de l'autre côté de la route. Rejetant le modernisme, ces constructions entouraient le terrain de golf. Elle avait oublié cette enclave formée par quelques riches habitants du Connecticut. Une idée sombre lui traversa l'esprit.

– Vous habitez ici?

Son rire sonore explosa dans la voiture.

– Jasmine, ne savez-vous pas que j'aime les choses simples?

Il tourna le volant, engageant le véhicule vers l'extrême droite où des arcades abritaient des magasins de sport et un café qui donnait sur la plage. Au fur et à mesure qu'ils avançaient vers la jetée, Jasmine distinguait des habitations récentes malgré la patine due aux embruns. Ils roulaient suspendus à la falaise.

– Nous y voilà, dit Laurent, désignant du doigt une villa aux volets bleus.

Laurent coupa le moteur.

Jasmine était fascinée par son environnement, tout son être pris sous le charme de cette maison de poupée. La porte jaune citron tranchait avec les fenêtres qui croulaient sous les pétunias. Elle se tourna vers Laurent, ébahie :

– Vous ne m'en aviez jamais parlé.

– Vous ne m'avez jamais posé la question, répliqua-t-il en souriant.

Avant qu'il ait pu lui ouvrir la portière, Jasmine était déjà descendue. Laurent la rattrapa à l'endroit où une clôture se dressait entre le jardin et la falaise escarpée.

– Je n'en crois pas mes yeux.

Elle leva vers lui un visage rayonnant. Le vent de la mer lui ébouriffait les cheveux et lui fouettait le visage.

Laurent lui prit les mains et les yeux violets de Jasmine s'embuèrent quand il baisa ses joues humides et salées. Elle poussa un soupir, enivrée par la mer et les parfums des lieux. Il lui serra la main, partageant son bonheur.

Des mouettes volaient bas dans le ciel et leurs cris plaintifs s'évanouissaient au loin, happés par le vent. Les vagues se brisaient contre les rochers dans des gerbes d'écume, puis se retiraient, laissant apparaître un coin de plage.

— Comment descend-on à la crique?

— On ne le peut pas. L'océan ne reculera pas davantage.

— Et moi qui croyais avoir trouvé l'endroit idéal pour faire du nudisme!

— Je connais un coin plus approprié, tout aussi discret et beaucoup moins dangereux. Ma piscine, par exemple.

— C'est nettement moins romantique, répondit Jasmine.

— Venez, je vais vous montrer la maison.

Il traversa la pelouse d'un pas rapide. Jasmine le suivit sans le quitter des yeux.

Au fur et à mesure que Laurent ouvrait les volets, le décor de la maison prenait forme, révélant d'abord la vue imprenable sur l'océan, puis l'ameublement. Laurent fit coulisser la grande porte vitrée sur un vaste patio où trônait la piscine.

— C'est splendide! J'adore cet endroit.

Puis elle remarqua le gril installé sur un mur de briques pour le barbecue.

– Je vous préparerai le petit déjeuner moi-même. J'espère que vous mangez, le matin.

Elle s'interrompit, surprise par sa propre audace. Laurent ne réagit pas.

– Voulez-vous quelque chose à boire? Un café?

– Non, rien, je vous remercie. Faites-moi plutôt visiter.

Elle découvrait Laurent sous un jour complètement différent. Ses yeux de décoratrice apprécièrent les tapis en patchwork jetés sur les parquets, la laque brique des murs, l'ameublement rustique : une commode en pin naturel, deux fauteuils en cuir de chaque côté de la cheminée et une table basse. Jasmine toucha les tapisseries en souriant :

– Quelle audace! Ce tissu vient de chez l'un de mes concurrents.

Laurent observait avec nonchalance la silhouette élancée de Jasmine qui évoluait dans la pièce. Elle s'arrêta devant des photographies disposées sur une table et demanda sans se retourner :

– Vous permettez?

Bien malgré elle, la jeune femme chercha des yeux une photo de Diana en mariée. Une sensation de plaisir l'envahit quand elle n'en trouva point. Il y avait plusieurs portraits de Scotty à des âges différents.

Puis les parents de Laurent. Mis à part les cheveux qu'elle portait longs, à l'époque, car ils retombaient sur ses épaules en boucles souples,

Fiona n'avait pas beaucoup changé. L'homme au corps athlétique qui se tenait à son côté se penchait vers elle. Il y avait également deux photos réunisant Laurent, sa sœur et ses parents, prises sans doute peu avant l'accident qui avait coûté la vie au chef de famille. Jasmine se redressa en poussant un soupir. La lutte acharnée dont Pops lui avait parlé avait dû être une bataille amère et pénible pour cette famille.

– Pourquoi ce soupir? s'enquit Laurent.

– J'aurais aimé connaître votre père.

– Il m'a légué beaucoup plus qu'il ne l'imaginait.

Compréhensive, Jasmine resta silencieuse. Il se retourna vers elle avec un sourire inattendu et lui passa le bras autour de la taille.

– Sortons nos affaires de la voiture.

Laurent porta la valise jusqu'à une chambre spacieuse dont la vue donnait sur la jetée. Les rideaux fins ondulaient, laissant entrer l'odeur saumâtre de la marée. Elle jeta ses affaires sur la commode puis s'agenouilla sur le banc près de la fenêtre, les coudes en appui sur le rebord. Elle se laissa bercer par le grondement des vagues.

– Vous ne trouvez pas cela romantique?

Elle leva son visage éclatant vers Laurent qui la dévorait des yeux.

Tout en lui caressant doucement les joues, il murmura d'une voix brisée:

– Je vous trouve si belle, Jasmine, et tellement plus romantique que le paysage...

Elle sentit le sang lui monter aux joues et renaître sous le contact de ses doigts. Sans dire un mot, il l'enlaça et fourra son nez dans la douceur parfumée de son corsage. Elle se languissait de lui et pressait sa tête contre son torse. La magie de la mer devenait bien terne en comparaison du désir ineffable qui envahissait leur corps. Jasmine fut prise de vertige quand Laurent prit son sein entre ses lèvres. Elle frissonna, et quelque chose de plus sauvage que l'océan se déchaîna et prit possession de sa chair.

Laurent ressentit le tressaillement de Jasmine et se redressa :

– Que sommes-nous en train de faire?

– Quelque chose de merveilleux, répondit Jasmine.

Elle jeta la tête en arrière et ferma les yeux. Alors, la bouche de Laurent se referma sur la sienne avec volupté tandis qu'il commençait à dégrafer son corsage. Ses mains se frayèrent un passage le long de la douceur satinée de son dos et s'accrochèrent à ses épaules nues. Jasmine ne pouvait plus réprimer le brasier qui s'allumait en elle sous les baisers passionnés de Laurent, auxquels elle répondit instinctivement.

Jasmine se laissa aller et poussa un petit cri de plaisir, ondulant sous les mains impérieuses de Laurent qui saisirent ses hanches, puis ses cuisses qui s'électrisèrent à leur contact. Elle mourait de désir, les sens à fleur de peau.

Laurent joua avec sa poitrine, pétrissant la chair tendre de ses doigts. Le souffle court, elle l'embrassait fièvreusement.

– Oh! Jasmine..., murmura-t-il en la caressant d'une façon possessive. Je vous veux maintenant.

En guise de réponse, elle lui passa les bras autour du cou.

La sonnerie du téléphone les pétrifia. Jasmine jeta un regard vide dans la pièce et découvrit le poste, sur un secrétaire.

Laurent poussa un grognement et relâcha son étreinte. Encore abasourdie, elle le regarda décrocher l'appareil. Il répondit d'une voix enrouée :

– O'Brien.

Malgré les battements de son cœur qui commençaient à s'apaiser, Jasmine perçut une voix saccadée, à l'autre bout du fil. Le visage de Laurent se crispa :

– Ah? fit-il avec impatience. Dis-lui que le court central est réservé. Très bien, je lui tiendrai mon discours habituel. D'accord, j'arrive dans dix minutes.

Son visage exprimait de la gêne quand il se retourna vers Jasmine.

– Je vous prie de bien vouloir m'excuser. Je dois aller au bureau.

Il passa la main dans ses cheveux flamboyants, esquissa un sourire timide et l'attira près de lui.

– Je donnerai une fortune pour rester avec vous. Mais, je présume que ça fait partie du métier, soupira-t-il.

Ses yeux recontrèrent le regard fiévreux de Jasmine.

– Je n'en ai pas pour longtemps. Mais je vous en prie, faites comme chez vous.

Après l'avoir serrée contre lui, il sortit.

Rêvant à la soirée qui s'annonçait prometteuse, Jasmine choisit ses vêtements avec un soin tout particulier. Ses cheveux en désordre encadraient son beau visage et elle grimaça devant sa cicatrice qu'elle dissimula sous une légère pellicule de fond de teint. « Voilà qui devrait faire oublier à Laurent ses divas », songea Jasmine en se détaillant dans la psyché. Le tissu arachnéen de sa robe avait la couleur des clématites et s'harmonisait à la perfection avec sa peau dorée. Le bustier laissait deviner la rondeur de ses seins et sa jupe découvrait généreusement ses jambes ce qui formait un ensemble séduisant. A l'extérieur, les volets grinçaient sous les bourrasques de vent.

Elle agrémenta sa toilette d'une fine chaîne en or et d'une touche de son parfum, « Obsession ».

Sur le point de fixer une boucle d'oreille en améthyste, elle sentit une présence. Elle sursauta en découvrant dans le miroir Laurent qui la regardait avec des yeux brûlant de désir.

Son regard de connaisseur s'attarda sur les courbes séduisantes de son corps.

– Je ne sais pas s'il est prudent de vous montrer à Ponterery.

– Nous allons le découvrir. L'air de la mer me creuse l'appétit.

Elle marcha avec grâce jusqu'au salon où un

feu de cheminée se consumait. Laurent effleura les lèvres de Jasmine en lui caressant le cou.

– J'avais l'intention de vous offrir un apéritif ici, mais... ma libido me conseille de le prendre au club.

Ils arrivèrent au foyer du club où un gardien prit les clefs de la voiture. Le maître d'hôtel les précéda jusqu'à leur table dressée près d'une porte-fenêtre. Jasmine ne prêta aucune attention aux regards et aux chuchotements que suscitait leur passage : qui était cette jeune beauté inconnue aux cheveux courts et au corps de vif-argent, accompagnant leur joueur de tennis professionnel à la crinière de feu qui affichait un sourire satisfait?

Laurent s'assit face à elle, après avoir salué la table voisine d'une signe de la main. Elle se demanda si ces visages familiers ne le gênaient pas.

– Voulez-vous boire ce champagne que nous nous sommes promis?

Chaque jeune femme dînant avec Laurent O'Brien devait susciter bien des curiosités, en particulier à son club. Cette idée mit Jasmine mal à l'aise.

– Tous ces regards polis ne vous gênent pas trop? fit-il?

Puis, il leva son verre :

– Je vous souhaite la bienvenue à Ponterery.

Laurent l'amusa en lui racontant quelques anecdotes salées sur certains de ses élèves les moins doués.

– Il y a un Lendl en herbe qui manie sa raquette comme un club de golf.

Détendue, Jasmine éclata de rire et objecta :

– Et les bons joueurs ? Vous devez en avoir quelques-uns qui ont un bel avenir devant eux.

– La journée de demain va me rappeler des souvenirs, dit Jasmine en trempant un morceau de canard dans une sauce au gingembre.

Laurent l'observait silencieusement, l'œil brûlant d'un désir intérieur.

– J'ai hâte que vous rencontriez mes jeunes, mais je crains que vous trouviez mes cours bien différents des vôtres.

La musique qui résonnait dans la pièce aux plafonds voûtés couvrait les discussions. Mais la mélodie devint aussi irréelle que les voix alentour. Jasmine fut séduite par l'atmosphère et le décor du lieu. L'ensemble avait beaucoup de classe et il y régnait une intimité émouvante. En souriant à Laurent, elle déclara :

– Ponterery est un endroit absolument enchanteur. Il représente beaucoup pour vous, n'est-ce pas ?

– J'y ai débuté et j'y tiens énormément.

– Je crois que mon père ressent la même chose à l'idée de quitter sa maison. J'ai peut-être trouvé un moyen d'éviter une telle éventualité. Pops a accepté de vendre un fauteuil Chippendale de très grande valeur qui appartenait à ma mère.

Il lui décocha un sourire malicieux.

– Qu'a-t-il dit quand vous lui avez appris que vous partiez avec moi ?

138

– Rien, répondit Jasmine, absorbée par ses pensées.

Puis, prenant conscience de sa voix dégagée, elle se dépêcha d'ajouter :

– J'ai fait part de mes projets à mon père ainsi que de mon désir de fermer le magasin pour quelques jours.

– Pas étonnant. Vous désirez un dessert?

Le serveur leur tendit l'énorme menu du club imprimé en lettres d'or.

– Je prendrai seulement un café, répondit Jasmine en souriant. Ensuite je meurs d'envie de retirer mes chaussures et de courir sur la plage. Et après...

Elle jeta la tête en arrière et braqua ses yeux violets sur lui.

– Je veux goûter votre champagne.

Joyeux et transis de froid, ils retournèrent à la Jaguar pour faire le court chemin qui séparait le club de la maison de Laurent. Les embruns faisaient briller les cheveux de Jasmine.

– N'était-ce pas merveilleux?

Laurent répondit d'une voix amusée en la décoiffant :

– Si votre conception du merveilleux ressemble à une tempête, alors vous êtes comblée. Mais franchement, je préfère un feu de cheminée et une bonne bouteille de champagne.

Jasmine alla droit vers l'âtre. Laurent s'accroupit à son côté et il jeta une allumette dans le petit bois.

— Et si nous passions des vêtements secs ? suggéra-t-il.

— S'agit-il d'un conseil d'ami ou d'une proposition ?

— Les deux.

Il gonfla ses joues pour souffler sur le feu et entoura la cheville de Jasmine, faisant glisser les doigts sur son mollet dénudé.

Jasmine vibra sous cette caresse. Avec un tendre sourire aux lèvres, elle croisa son regard langoureux.

— Votre franchise me plaît. Accordez-moi quelques minutes.

Une fois dans la chambre de Laurent, elle s'appuya contre la porte et reprit son souffle. Elle n'avait pas autant d'assurance qu'elle le laissait croire. Tout lui paraissait si différent depuis son arrivée chez Laurent... jusqu'à ce déshabillé dans la penderie qui semblait avoir été accroché par une étrangère. Elle l'avait acheté dans un magasin chic de Lenox, cédant à une envie subite. A présent, elle trouvait cette soie ivoire prétentieuse avec son décolleté plongeant et ses poignets en marabout.

Ses mains se figèrent sur la fermeture Éclair de sa robe, lorsque *L'Hymne à la joie* résonna dans la maison. Cette musique l'avait toujours émue aux larmes, et elle fondit en se laissant aller aux crescendo lyriques. Comment Laurent avait-il deviné ses goûts ?

Il lui fallut quelques minutes pour se sécher les cheveux. Puis elle s'examina dans la glace avant d'éteindre la lumière. Ses yeux violets luisaient avec intensité, comme un puits renfermant des trésors.

La réaction de Laurent qui était en train de préparer le champagne lui prouva que ce déshabillé produisait son effet. Jasmine en eut également le souffle coupé : une robe de chambre de chez Cardin en satin ébène mettait en valeur ses épaules musclées. Le feu jetait des éclairs dans ses cheveux et ses yeux d'azur débordaient de tendresse en la regardant. Le cœur de Jasmine s'accéléra.

— Vous êtes si belle !

Tour à tour, il admirait son décolleté et la soie qui épousait voluptueusement la courbe de ses hanches.

Il la prit dans ses bras, effleurant des lèvres sa chevelure.

— Vous sentez bon l'air marin, ma sirène !

Il servit le champagne frappé dans des flûtes de cristal. Il en tendit une à Jasmine d'une main fébrile et, sans la quitter des yeux, il porta un toast :

— A celle qui neutralise le froid et la tempête, et qui réchauffe la maison de sa présence.

— Quel homme étrange vous faites, Laurent, et combien vous savez faire plaisir...

Il répondit sérieusement :

— Je suis là pour ça.

Laurent observa Jasmine déguster son champagne dans un fauteuil. Le feu animait son visage de reflets incandescents. Sans la perdre de vue, il termina son verre d'une seule gorgée.

D'un mouvement rapide et souple, il s'agenouilla et cacha sa tête au creux de son ventre. Le
cœur de la jeune femme explosa de joie. Elle
caressa ses boucles et ses doigts glissèrent le long
de son cou jusqu'à la naissance de ses épaules.
Enivrée par la chaleur et l'odeur de sa peau
mêlées au parfum des pommes de pin qui brû-
laient dans la cheminée, elle sentit que tout devenait irréel et ses mains continuèrent leur exploration, errant sour le col d'ébène.

– Jasmine! dit Laurent d'une voix rauque.
Vous me rendez fou.

Il l'attira contre lui. Leurs bouches avides se
rencontrèrent et la jeune femme fut inondée
d'une chaleur plus intense que celle du brasier
qui se consumait dans la cheminée. Spontanément, elle colla son visage à l'endroit où battait
son cœur en gémissant.

Elle se blottit contre lui avec un sourire langoureux.

– Je veux que vous me serriez fort dans vos
bras, jusqu'à en avoir mal.

– Je ne pourrai jamais vous faire souffrir.

Les doigts qu'il avait posés sur son front tra-
hissaient une main de fer dans un gant de
velours. Devant cette autorité à peine masquée
et cette passion débridée, le cœur de Jasmine
se mit à battre avec frénésie. Elle se laissa aller
contre son épaule, tout son être noyé sous ses
caresses qui s'égarèrent sur son visage puis,
comme un voleur, glissèrent subrepticement
sous le marabout.

142

– C'est merveilleux de se retrouver seul avec vous..., chuchota Laurent d'une voix tendre.

Redressant la tête en quête de son visage, elle exprima le fond de leurs pensées :

– Nous n'avons plus à nous presser ni à nous cacher, puisque nous sommes dans notre jardin secret, du moins pour l'instant.

Elle s'interrompit et détourna les yeux, affolée. La respiration saccadée de Laurent lui prouvait qu'ils avaient atteint le bord d'un gouffre dévastateur et qu'il lui laissait l'initiative.

– Laurent ?

En poussant un cri de plaisir il la serra contre lui. Il fit glisser les bretelles de son déshabillé avec des doigts si habiles que Jasmine en eut à peine conscience. Assaillie par une pluie de baisers qui dévoraient sa peau enflammée, elle s'accrocha à lui tandis qu'il l'allongeait sur les coussins. Paralysée par une délicieuse torpeur, elle observait Laurent sous ses paupières mi-closes.

Elle ignorait combien de temps elle pourrait encore résister à ses baisers, qu'il lui prodiguait comme s'il ne pouvait se rassasier du goût et du contact de sa chair. Il desserra son étreinte le temps de défaire son déshabillé qu'il jeta à terre d'un geste impatient.

La vue de son corps lui arracha un cri rauque. Derrière elle, l'agonie du feu dessinait des ombres sur ses bras qu'elle ouvrit largement pour accueillir Laurent. Sa main hésita au contact de la dentelle. Dans un doux crépitement, une flamèche balaya le pare-feu et mourut.

143

— Maintenant, mon amour.

En chancelant, Laurent se leva et l'aida à se mettre debout. Tendrement enlacés, ils partirent vers la chambre en contournant leurs vêtements mêlés à terre dans une symphonie d'ivoire et d'ébène.

9

– JASMINE! Tu ressembles à un fantasme inaccessible.

Les battements de son cœur se déchaînèrent quand ses mains caressèrent ses longues jambes et se frayèrent un chemin vers ses cuisses fuselées. Il l'observa un instant, ne communiquant qu'avec son regard.

La passion réprimée depuis si longtemps explosa. Dans un gémissement, il s'agenouilla près du lit et partit à la découverte de sa féminité. Ses baisers lui ravagèrent la gorge et il mordit le bout de ses seins durcis par le désir, puis son ventre plat... Elle tressaillit.

Il l'attira vers lui. Chair contre chair, seul le désir mutuel qu'ils éprouvaient l'un pour l'autre les séparant. Le contact de sa peau avait électrisé Jasmine bien avant que ses mains et sa bouche ne se mettent en quête de leur précieux butin.

– Jasmine, ma belle Jasmine! Je ne peux pas y croire. Enfin!

– Laurent, aime-moi. Prouve-moi que nous ne rêvons pas.

Elle s'accrocha désespérément à son corps souple et sentit les battements de son cœur. Tout comme Icare avec ses ailes de cire, elle vola au septième ciel et se surprit à crier d'extase quand les caresses l'effleurèrent là où elle était si sensible.

Le souffle de Laurent devint saccadé quand il sentit Jasmine onduler sous ses mains, son corps enflammé répondant aux délicieuses sensations qu'il provoquait en elle. Elle ne se croyait pas capable d'éprouver un plaisir si intense et si délicieux. Au comble de l'excitation, il s'unit à elle et la conduisit sur les cimes encore inexplorées du plaisir.

Dans un abandon délicieux, elle l'enferma dans l'étau de ses jambes, savourant l'odeur épicée de sa peau et l'insistance de sa bouche qui la meurtrissait.

Vague après vague, ils caracolèrent vers les sommets de la jouissance, leurs corps enlacés de façon primitive. Puis un raz de marée les engloutit et la plainte de Jasmine se fondit à celle de Laurent. Ils reprirent leur souffle, stupéfaits de ce qu'ils venaient de vivre.

Tout en la gardant prisonnière, Laurent se laissa glisser sur le dos. Elle se sentait merveilleusement épuisée et comblée.

Laurent roula sur le côté et enfouit la tête dans son cou.

– Jasmine! Tu es merveilleuse.

– Je n'arrive pas à croire qu'une telle chose puisse arriver entre deux êtres, dit-elle d'une voix saccadée tout en s'imprégnant du mélange sensuel de leurs odeurs.

Il se dressa sur les coudes pour allumer la lampe de chevet et prit le visage de Jasmine entre ses mains. Elle lui caressa la joue.

— Tu m'as rendue heureuse. Tu m'as libérée de toute inhibition... comme une vraie femme.

— Ce n'est pas moi qui dirai le contraire.

Il déposa un tendre baiser sur ses lèvres et ses mains effleurèrent sa poitrine. A demi endormie, Jasmine passa son bras autour de Laurent et écouta sa respiration devenir régulière avant de sombrer dans le sommeil.

Dans la nuit, elle fut tirée des limbes par l'orage. Des éclairs balayaient par intermittence des meubles qu'elle ne reconnaissait pas. Elle n'arrivait pas à se souvenir du lieu où elle se trouvait. Mais quand Laurent la prit dans ses bras, encore tout alanguie, elle se pelotonna contre lui. Il murmura :

— Jasmine! Comment pouvons-nous perdre notre temps à dormir?

La bouche de Laurent sur la sienne la fit sursauter. Elle tenta de le repousser gentiment :

— Laurent, oh...!

Ses paroles fondirent sous ses baisers ravageurs. Le corps de Laurent épousa ses formes et ses doigts caressèrent le bout de ses seins.

Mais l'appétit de Laurent s'intensifia et, impatient, il fit naître en elle le désir, fouillant les recoins sensibles de son corps de femme. Les roulements de tonnerre exacerbaient leur passion et tous les sens de Jasmine convergèrent vers lui. Malgré sa bouche endolorie, elle avait une soif intarissable de ses baisers.

L'éclair qui déchira le ciel illumina les yeux de Laurent en une lueur surnaturelle et triomphante. Puis ils plongèrent tous deux dans les délices du plaisir. L'océan déchaîné semblait bien peu de chose devant la tempête que déclenchaient leurs ébats passionnels.

Ils ne parvenaient pas à se rassasier l'un de l'autre. N'en finissant pas de donner et de recevoir, ils s'envolèrent ensemble sur des hauteurs inimaginables.

Curieusement, le fracas et les éclairs s'évanouirent avec leur passion. « Un présage », pensa Jasmine. Puis elle s'endormit au creux de l'épaule de Laurent.

A son réveil, le soleil brillait. Le bruit régulier de l'océan sur la grève la ramena à la réalité. En tournant la tête, elle rencontra le regard de Laurent.

– Bonjour, ma Belle au bois dormant, dit-il en l'embrassant.

Jasmine battit des cils.

– Je te demande pardon, mais je ne me réveille pas facilement. Tu n'aurais jamais dû me torturer de la sorte.

– Une douce torture qui m'a donné la chance de t'admirer de près, précisa Laurent. Dans ton sommeil, tu ressembles à un enfant sans défense.

Son regard erra sur sa chevelure éparpillée sur

148

l'oreiller, passa sur ses joues rougies de sommeil et s'arrêta sur sa bouche, légèrement boursouflée par trop de baisers passionnés. Il effleura sa cicatrice couleur topaze.

— On dirait une médaille en or.

— Pour bonne conduite? plaisanta Jasmine afin de dissimuler sa gêne.

Il la taquina à son tour.

— Pour conduite dévergondée.

Jasmine avait promis de le retrouver un peu avant midi. Aussi doux que du miel, les rayons de soleil inondaient la porte jaune citron qu'elle referma derrière elle. Elle prit le chemin qui menait vers les courts de tennis.

Les cheveux de Laurent se soulevaient comme des feuilles dorées au rythme de l'ondulation de ses muscles. Elle porta les doigts à sa gorge au souvenir de ce bras sur son corps, la nuit passée. Du coin de l'œil, Laurent remarqua le bref mouvement qu'elle venait d'esquisser.

— Jasmine!

Son visage s'illumina en la voyant. Son regard vif la caressa des yeux, appréciant de toute évidence le short rose et la chemisette assortie qui mettaient ses formes en valeur. Le toussotement de son partenaire ramena Laurent sur terre.

— Jasmine, je te présente Russ Page.

Puis, en direction du moniteur, il dit :

— Voici Jasmine Storms, de Stockbridge.

Russ lui décocha un sourire quelque peu audacieux.

— Je vois que Laurent a encore fait des ravages. Seulement, cette fois, il a remporté le gros lot.

Jasmine lui rendit son sourire, immédiatement séduite par ce garçon. Il ne la quittait pas de ses yeux pétillant d'intelligence et d'humour.

– Jasmine disputait les compétitions de juniors à Ponterery, expliqua Laurent, sans songer à sa susceptibilité.

– Vraiment?

En remarquant la gêne sur le visage de Jasmine, Russ ajouta avec désinvolture :

– Il faudra qu'on vous mette à l'épreuve.

– Absolument.

Laurent parlait d'une voix tout aussi détendue en prenant le bras de Jasmine.

– Cela ne t'ennuie pas de me remplacer? J'aimerais lui faire visiter les lieux.

– OK. Je te retrouve au buffet.

Il partit sur un salut moqueur.

Les rapports simples que les deux hommes entretenaient impressionnaient Jasmine.

– Russ est joueur professionnel?

– J'aurais bien aimé, mais il retourne à Harvard dans quelques semaines pour terminer ses études. Les enfants vont le regretter. Il a une patience d'ange et son tact... Enfin, tu jugeras par toi-même. Russ ne laisse personne indifférent.

Après le tour du club de tennis, Jasmine poussa un petit soupir :

– Eh bien, on peut dire que tout a changé! Sauna, jacuzzi et tous ces stylistes dans le magasin de sport... Quel luxe!

Elle gravit les marches d'une terrasse bordée de fuchsias et d'impatiences baignés de soleil où on avait dressé quelques tables pour le repas. Derrière un des buffets, Russ leur fit un signe de la main.

— Plus le club est luxueux, plus il marche, précisa Laurent. Nos membres ne viennent pas uniquement pour le tennis. Ils souhaitent aussi trouver le confort et un certain snobisme.

Un klaxon retentit et, sur un signe de Laurent, Russ se dirigea vers la cuisine. Jasmine regarda Laurent, l'air interrogateur.

— Viens avec moi. J'aimerais que tu les rencontres. Je vais être débordé, au repas, alors j'ai demandé à Russ de s'occuper de toi.

Bien sûr, se rappela Jasmine en le suivant. Les enfants! Il avait dit que Russ allait leur manquer.

Ils surgirent d'une camionnette, comme des marionnettes exubérantes, chahutant à qui mieux mieux sur la pelouse soigneusement tondue. Deux ou trois étaient noirs, quelques-uns asiatiques. Tous débordaient d'énergie et d'impatience.

Alors qu'elle croyait le véhicule vide, une fillette et un petit garçon, tous deux handicapés, descendirent sans hâte. La gorge de Jasmine se noua en voyant leur démarche douloureuse. Laurent leur vint en aide.

Intriguée, Jasmine rejoignit Russ qui l'attendait.

Prenant place sur la chaise qu'il lui tirait, Jasmine demanda :

— Russ! Parlez-moi d'eux.

Elle regarda par-dessus l'épaule du moniteur. Laurent avait rassemblé les enfants à l'extrémité du buffet et il leur distribuait une assiette en carton bien garnie, pour leur plus grande joie.

Russ avait l'air ravi, autant par l'intérêt évident que Jasmine leur témoignait que par l'énorme sandwich dans lequel il mordait à belles dents.

– Ces enfants appartiennent à une riche fondation du Connecticut. Ceux que vous voyez aujourd'hui sont en pension dans les environs et restent entre deux et six semaines, tout dépend de la famille d'accueil qui les demande.

Elle regarda Laurent s'arrêter à une des tables pour dire quelques mots à une des fillettes dont le visage s'éclaira d'un large sourire. L'adolescente qui avait quitté la camionnette en dernier était la plus âgée du groupe et, lorsque Laurent lui effleura la joue, une image surgit à la mémoire de Jasmine qui revit le visage de Scotty et ses jambes musclées.

– Que peut faire le tennis pour eux?

– Les résultats auxquels nous parvenons vous surprendraient, répondit Russ avec un sourire éclatant. L'idée de ce cours vient de Laurent. Malgré leur handicap, la plupart d'entre eux peuvent pratiquer un sport. Mais qu'ils aient déjà tenu une raquette ou pas, nous les acceptons tous. Les enfants savent qu'ils peuvent lui confier les frayeurs ou les difficultés qu'ils éprouvent en jouant. Il a toujours une grande dose de tendresse à leur offrir.

– Vous estimez beaucoup Laurent, n'est-ce pas?

Elle le regarda gravement.

152

– Suffisamment pour lui demander de signer un autographe sur ma paie de fin de mois, répondit Russ qui plaisantait.

Sur le court central, Laurent allait d'un enfant à l'autre avec patience, consacrant tout particulièrement son attention aux plus désavantagés.

Le dos appuyé au grillage, la petite fille handicapée semblait avoir oublié sa timidité en suivant une partie avec passion. L'envie se lisait sur son visage. Cédant à son impulsion, Jasmine s'approcha d'elle sans être vue.

– Tu n'aimerais pas essayer de jouer avec moi ?

La fillette ouvrit de grands yeux. Puis elle joua avec les cordes de sa raquette. Elle murmura d'une voix à peine audible :

– J'ai peur !

– Il ne faut pas. Tu tu sentirais beaucoup mieux si tu essayais, la défia Jasmine.

Laurent observa Jasmine en train de décrire à son élève un mouvement gracieux du bras.

Les rayons de la lune inondaient le patio où Laurent avait servi un digestif. La brise parfumée de l'océan murmurait à travers les pins. Jasmine huma l'arôme de son brandy en étudiant le profil de Laurent penché sur son verre. Jasmine le trouvait beau et hors du temps. A quoi pensait-il ? Il surprit son regard posé sur lui.

Sans le vouloir, il lui avait fait comprendre à quel point la blessure de son bras était bénigne devant le malheur de ces enfants. A moins que cette phrase : « Le tennis les aide à guérir, tout comme la natation pour vous » ne soit aussi anodine qu'il y paraissait...

Laurent s'agenouilla près de sa chaise et lui dit :

— N'aie jamais honte de toi, chérie. D'une certaine façon, nous avons tous un handicap à surmonter dans la vie.

— Tu crois que j'ai réussi à vaincre le mien? demanda Jasmine avec mélancolie.

Il lui prit les mains :

— Ne l'as-tu pas prouvé aujourd'hui en faisant travailler cette fillette?

La jeune femme se dirigea d'un pas nerveux vers la piscine où elle fixa un moment l'eau chatoyante. Puis elle fit volte-face et la lumière blafarde ondulait sur son corps.

— Elle avait peur, expliqua Jasmine d'une voix étouffée. Elle m'a raconté qu'elle jouait très bien autrefois, et c'est vraisemblable. Je lui ai demandé de ne pas se soucier des apparences et de ne pas oublier qu'il s'agissait d'un jeu. Puis je lui ai conseillé de continuer à suivre tes cours et d'en profiter au maximum.

Laurent bondit à son côté et la prit dans ses bras. Elle sentit fondre sa défensive sous son étreinte si tendre.

— J'ai la conviction que tu as parlé avec beaucoup plus de sensibilité que tu ne veux l'admettre. Ne cherche pas à me duper, Jasmine.

Il la serra contre lui, et berça sa tête contre son épaule.

154

– Oh... Laurent!

La confusion se lisait sur le visage de Jasmine quand elle recula.

– J'aimerais que tu arrêtes de lire dans mes pensées. Tu me donnes l'impression d'être un livre ouvert, dont le vent fait tourner les pages.

Elle leva sur lui son regard violet. Quand il tendit ses lèvres vers les siennes, Jasmine frissonna. Elle se sentait non seulement apaisée, mais surtout aimée tendrement. La bouche de Laurent effleura la sienne et parcourut le velours de son cou en dessinant des méandres, plus doux que passionnés. Jasmine s'abandonna en se demandant, à demi aveuglée, à quel moment leur désir fou exploserait.

Elle n'eut pas à attendre longtemps. Laurent la serra inexorablement contre lui et, le corps cambré, Jasmine prit l'initiative.

– Qu'attendons-nous?

Devant l'étonnement de Laurent, elle éclata de rire. Lentement, sa main glissa sous la chemise et se joua sur son torse.

– Que préfères-tu? La douche ou la piscine? A moins que ton choix ne se porte sur la mer?

Après lui avoir ôté sa chemise, elle se dirigea vers le plongeoir.

Il la tira brusquement à lui. Ses mains caressèrent sa poitrine qui se durcissait sous ses doigts.

– Démon tentateur!

Elle éclata de rire en avançant sur la moquette, vêtue de sa robe de chambre en soie. Le fond bleu de la piscine miroitait sous la lune et ressemblait à une grotte.

155

Il l'enlaça et dénoua la ceinture de son déshabillé. Le temps d'un baiser et elle plongea dans la piscine. Il admira ses longues jambes gracieuses quand elle fendit l'eau comme une flèche.

Sur le ciel constellé d'étoiles, Jasmine distingua sa silhouette entourée d'une superbe aura de virilité. Elle sursauta lorsque les bras de Laurent lui entourèrent la taille sous l'eau. Il colla le ventre de Jasmine contre son torse et entreprit l'exploration détaillée de sa peau mouillée.

Le doux remous provoqué par leurs mouvements sous l'eau attisait leur désir. Elle se plaqua contre lui, le plus près possible, et enfouit les doigts dans ses cheveux. Son ventre musclé se frottait contre le sien de façon suggestive.

– Laurent?

Il l'écrasa entre ses bras. A son tour, Jasmine osa d'autres caresses plus audacieuses. Fou de désir, il l'interrompit et sa bouche s'écrasa sur la sienne dans un baiser sauvage.

Ensemble, ils s'abandonnèrent alors et voguèrent sur les cimes de l'extase, une force primitive ayant transformé leur passion en tornade. Laurent l'enveloppa dans une immense serviette et la porta sur le lit, dans la chambre.

Au matin, l'océan et le ciel n'avaient jamais été d'un bleu aussi pur. « Est-ce mal de se sentir heureux? » Jasmine aurait voulu poser la question à Laurent mais elle préféra se taire. Au lieu de cela, elle lui avait pris la main et l'avait entraîné en riant dans l'écume des vagues. Ensuite, ils s'étendirent sur le sable chaud à l'abri des dunes, leurs corps insatiables serrés l'un contre l'autre. Stockbridge leur paraissait un monde bien lointain et rien d'autre que leur émotion n'existait. Au café de la plage, ils avalèrent une soupe de palourdes.

– Prête pour une petite partie de tennis? demanda Laurent en froissant sa serviette en papier.

L'estomac de Jasmine se noua et elle regarda sa montre par deux fois.

– Nous avons encore le temps?

– Il nous reste tout l'après-midi, précisa Laurent.

– Il n'y a peut-être plus de courts disponibles?

Il secoua la tête.

– Pas de problème. J'ai demandé à Russ de nous en réserver un.

Elle lutta contre le nœud qui se formait dans sa gorge.

Jasmine avait les nerfs à vif quand ils pénétrèrent sur le terrain. La raquette en graphite que Laurent lui avait donnée glissait dans sa main. Pour vaincre son trac, elle aspira une grande bouffée d'air marin. Elle contourna le filet.

Laurent lui fit un signe, à l'autre bout du court, et la jeune femme se crispa en cherchant à se raisonner : « Personne d'autre que toi ne s'occupe de savoir si tu joues bien. »

Pour Jasmine les deux heures qui suivirent se déroulèrent dans l'ivresse du jeu, sans inhibition et sans ménagements.

– Quel spectacle! s'écria Russ en traversant le terrain.

– Je lui ai mené la vie durant avant qu'il me batte, précisa Jasmine.

Elle se retourna et sourit à Russ qui renchérit :

– Vous devriez faire attention. Si vous aviez rattrapé quelques-uns de ses aces...

Il s'interrompit net, étonné par la gêne qui se lisait sur le visage de son ami :

– Que se passe-t-il? Tu n'acceptes plus les compliments, maintenant?

– C'est Jasmine qu'il faut complimenter, répondit Laurent en lui entourant les épaules d'un geste protecteur.

Jasmine éclata de rire.

– J'accepte de bon cœur. Je parie que Laurent ne vous a pas tout dit. Si je n'avais pas eu un accident de voiture, j'aurais également pu servir des aces.

Russ émit un sifflement entre ses dents.

– Vous avez de la chance de jouer aussi bien. Bon, je crois que je ferais mieux de partir. J'ai un cours dans quelques minutes avec Mme Fatcan.

Après avoir jeté un sourire impudent, il détala.

– Quel garçon agréable!

Amusée par l'insolence de Russ, Jasmine se retourna pour le suivre des yeux.

Laurent lui prit la main et la pressa sur son cœur.

– Rentre avec moi, Jasmine. Tu me rends fou et j'ai envie de t'aimer maintenant.

Le bruit du moteur ronronnait et des lumières scintillaient sur ses paupières. Son cou se raidit quand sa joue glissa sur le cuir froid pour venir se poser sur quelque chose de doux à l'odeur familière. Elle essaya de se redresser et ouvrit les yeux.

Dans la Jaguar, la voix de Laurent l'enveloppa d'un voile douillet.

— J'allais te réveiller dans un petit moment.

Jasmine étira ses jambes ankylosées en jetant un coup d'œil par la portière.

— Tu ronfles d'une façon absolument adorable, dit Laurent en lui caressant le genou.

— C'est faux ! Je ne ronfle pas, dit-elle, indignée.

La voiture tourna dans l'allée du Pays d'antan d'où une lumière filtrait derrière les volets. Une lueur rosée venant de la grange attira l'attention de Jasmine qui se pencha pour mieux voir.

— Mon père travaille encore ?

Puis elle ravala sa salive et s'écria :

— Seigneur, il y a le feu !

— Va voir si Pops est à la maison, ordonna Laurent d'une voix cassante. Je prends l'extincteur dans le coffre.

Les mains tremblantes, la jeune femme ouvrit la porte de la cuisine et poussa un soupir de soulagement. Pops dormait devant le poste de télévision. Elle fit volte-face et courut à la grange.

— Oh ! non ! hurla Jasmine en voyant Laurent diriger le jet de l'extincteur sur le fauteuil Chippendale.

Avec horreur, elle regarda la mousse se répandre sur le tissu et couler le long des sculptures endommagées.

Devant le choc que Jasmine avait reçu, Laurent fronça les sourcils.

– C'est le fauteuil dont tu m'as parlé?

Anéantie, Jasmine approuva d'un signe de tête et elle s'écroula dans ses bras en poussant un petit gémissement.

10

Maintenant, papa va se retrouver dans l'obligation de vendre la maison, songea Jasmine devant ce qui restait du fauteuil.

La déception et la fureur lui nouèrent l'estomac. Rien ne pouvait l'affecter plus que cet incendie. Une fois encore, son esprit se dirigea vers Diana et son père. Tous deux connaissaient la valeur de ce fauteuil et sa cote sur le marché... Elle se précipita dehors.

Jasmine tenta de concentrer ses pensées sur son emploi du temps. A huit heures, elle devait jouer avec Scotty. Puis elle avait prévu de ranger le Pays d'antan avant la cohue du week-end. Jasmine trépigna de rage en se souvenant du bonheur qu'elle avait connu à Ponterery.

– Jasmine!

Elle vit Cal surgir de derrière la grange, le menton noir de barbe, les cheveux en bataille. Elle lui demanda, inquiète :

– Tu vas bien?

– Oui, bien sûr, dit-il, haletant. Laurent vient de m'apprendre la nouvelle au téléphone. Y a-t-il eu beaucoup de dégâts? Il m'a parlé d'un fauteuil.

Il se planta sans hésitation devant le Chippendale. Jasmine le suivit, prise d'un doute horrible. Puis il fit un rapide inventaire du regard et poussa un soupir.

– Quelle chance! Cela aurait pu être pire.

– Tout dépend de la façon dont on voit les choses, répondit Jasmine qui dominait mal son irritation. Cal, tu es venu ici hier et tu as fumé, n'est-ce pas?

Il leva sur elle un regard penaud.

– Quelle négligence de ma part! Scotty avait égaré son pull.

– Et vous l'avez trouvé?

« Quel vieux truc éculé », songea-t-elle. Cette pensée apaisa sa fureur.

– Cal, tu as fumé ici?

– Je suis un véritable imbécile, dit-il tout net. En rentrant dans la grange, j'ai dû mal écraser ma cigarette. Je te demande pardon. Je passerai à midi pour présenter mes excuses à ton père. Heureusement que ce vieux fauteuil a souffert.

– Oui, heureusement. Au fait, vous avez retrouvé le pull de Scotty?

« Je me répète », songea Jasmine en éclatant d'un rire nerveux. Elle savait que si Cal réalisait l'étendue du désastre causé par sa négligence, il ne s'en remettrait pas.

– Ne te fâche pas, Jasmine.

Il regarda sa cigarette avec dégoût et l'écrasa sous le talon de sa chaussure. Puis il enfouit le mégot dans sa poche.

— Scotty est une enfant adorable et son invitation m'a flatté. Mais j'ai besoin d'une vraie femme... comme toi.

— Donne-moi encore quelques années, répondit Jasmine, cherchant à interrompre cette conversation.

Cal blêmit comme s'il avait reçu une gifle. Il se mordit les lèvres et dit lentement :

— Tu es vraiment fâchée contre moi. Je ne voulais surtout pas ajouter à tous les problèmes que je t'ai déjà causés.

— Oh! non. Cal...

La compassion lui noua la gorge quand elle comprit qu'il songeait au passé. Elle embrassa ses joues hirsutes :

— Il ne faut pas que tu te culpabilises.

— Jasmine, tu penses vraiment ce que tu dis?

— Absolument. J'ai souvent remercié le Ciel de nous avoir permis de nous en tirer indemnes.

Elle le rassura d'un sourire forcé. Cal reprit des couleurs et appuya ses lèvres contre le front de Jasmine.

— Je ne t'ai jamais dit que tu incarnais à mes yeux la femme idéale? Je ne supporterais pas de te gâcher la vie encore une fois. Tu me rends l'espoir.

Jasmine battit Scotty en deux sets. Dans le dernier jeu, émue par le visage crispé de sa partenaire, Jasmine avait presque relâché son attaque, puis elle se ravisa car elle avait résolu d'apprendre à Scotty comment devenir invincible.

– Allons, dit la jeune fille, de mauvaise humeur, il s'agit d'un match et pas d'un ballet.

Scotty représentait exactement le catalyseur dont elle avait besoin. Essoufflée, Jasmine rattrapa la balle et la rangea, s'efforçant de retrouver son calme. Elle avait réprimé l'envie de lui donner une bonne fessée en voyant ses yeux trop maquillés pour son âge.

– Partons.

Devant la Mustang, Jasmine regarda sa montre tandis que Scotty arrivait lentement en donnant des coups dans sa raquette.

– Tu as bien joué, tu sais. Tu veux qu'on recommence bientôt? demanda Jasmine.

– Peu importe, répondit Scotty.

Elle regarda la petite silhouette monter à côté d'elle et s'inquiéta :

– Tu te sens bien? Tu es livide.

– Je vais très bien, marmonna Scotty entre ses dents.

– Je te reconduis chez toi. Tu as besoin d'une bonne douche et d'un bon repas après avoir brûlé toutes ces calories.

Jasmine fit demi-tour et prit la direction de Prospect Hill. Elle éclata de rire.

– Voilà que je te parle comme une tante et non comme ton amie.

La jeune fille répondit en éclatant en sanglots.

– Je ne mérite pas votre amitié. Je regrette de vous avoir dit des choses désagréables. Mais je me sens si coupable pour l'incendie de la nuit dernière...

Elle ne pouvait pas réprimer ses larmes qui lui dessinaient des rigoles de mascara sous les yeux.

– Scotty, je t'en prie, arrête. Sinon je vais également me mettre à pleurer.

Jasmine rangea sa voiture sur le bas-côté de la route et prit la jeune fille dans ses bras.

– Je vois que ton frère t'a tout raconté. Évidemment, il y a des dégâts, mais, comme le dit Cal, cela aurait pu être pire.

Scotty se libéra de son étreinte :

– C'est moi qui ai convaincu Cal de rentrer dans la grange sans la permission de votre père pour aller y chercher mon pull...

Sa voix flancha lorsqu'elle croisa le regard réprobateur de Jasmine. Elle poussa un long soupir.

– D'accord, j'ai inventé cette histoire de pull. Et une fois sur les lieux, j'ai pris peur. Mais je mourais d'envie qu'il m'embrasse.

Elle se cacha la tête dans les mains.

– Ne pleure plus, dit Jasmine en prenant un mouchoir dans le vide-poches. Tu as eu de la chance d'avoir affaire à Cal. Réfléchis un instant. Tu aurais pu te trouver face à un homme beaucoup moins gentil que lui. A l'avenir, promets-moi de ne plus jamais prendre un risque aussi inconsidéré. Tu te crois forte, mais tu ne feras pas le poids face à un gorille s'il décide d'abuser de toi physiquement.

La jeune fille frissonna et se jeta dans ses bras.

– Vous savez, Jasmine, cela ne me gêne pas que vous me sermonniez. J'aurais aimé que vous soyez ma sœur.

Jasmine lui répondit avec un sourire hésitant :

— Faisons comme si c'était le cas.

Elle démarra. Les deux jeunes femmes restèrent silencieuses jusqu'au moment où une famille d'oies blanches traversa la chaussée. Amusée, Jasmine freina et donna un petit coup de klaxon.

Scotty descendit de voiture en agitant les bras pour obliger les volatiles à quitter la route. Puis elle remonta en riant.

— Elles sont vraiment trop bêtes!

Jasmine sourit devant le changement d'humeur de la jeune fille.

— Oui, répondit Jasmine en accélérant. Elles attendent qu'on vienne les cueillir sur le bord de la route.

Avant de poursuivre, elle hésita, sachant pertinemment qu'elle risquait de perdre Scotty si elle allait trop loin.

— D'une certaine façon, voilà à quoi les filles peuvent s'attendre quand elles se rendent trop disponibles.

Jasmine reprit son souffle, en espérant qu'elle agissait utilement. Elle jeta un bref regard à Scotty qui tiraillait sa robe.

Arrivées devant la maison des O'Brien, Jasmine ajouta.

— Scotty! Tu rencontreras l'amour le moment venu, pas avant. Ne précipite pas les choses. Ton corps est précieux, tâche de savoir exactement ce que tu fais avant de l'offrir à un homme.

L'expression qui se lisait sur le visage de Scotty

balançait entre le sérieux et la gaieté. Elle embrassa Jasmine sur la joue.

– D'accord, frangine!

En agitant sa raquette de tennis, Scotty s'élança vers la villa.

– Eh bien, Cal, entre donc. On peut dire que tu te fais rare, ces derniers temps.

En montant les marches, Jasmine entendit le ton ironique de son père. Elle mourait d'envie de plonger dans un bain chaud et de se coucher, car la journée au magasin l'avait brisée. Cependant, elle ne pouvait pas se montrer aussi impolie avec Cal, surtout pas lui. En soupirant, elle retourna dans la cuisine.

– Jasmine! Je n'espérais pas te voir. Je croyais que tu fêtais avec Laurent le coup d'envoi du tournoi.

Elle évita de croiser le regard interrogateur de son père et répondit en haussant les épaules :

– Après la foule d'aujourd'hui, je préfère rester à la maison. De plus, je crois que Fiona et lui dînent avec des hommes d'affaires.

– Justement! Voilà ce qui m'amène.

L'air grave, Cal s'assit sur le canapé.

– Les propriétaires m'ont téléphoné de Los Angeles, tout à l'heure. Ils me donnent carte blanche pour vous faire une offre concrète en ce qui concerne votre terrain. Si je dois agrandir Robbin Roost, il faudra installer une piscine plus grande et prévoir des pistes de cyclisme et de jogging, des terrains de tennis, de squash, et pourquoi pas, un parcours de golf de neuf trous.

– Tout cela sur un hectare de terre?

Cal changea de position et toussa.

– Non. Je souhaiterais que le contrat de vente stipule une•option d'achat, disons dans cinq ans, pour acquérir le reste de votre propriété ainsi que cette maison, à condition que les affaires prospèrent comme je l'entends.

Jasmine s'écroula sur une chaise en pin, étonnée par les projets ambitieux de Cal. Et si l'offre de la famille Robbin concurrençait celle de Farrington?

– Et sur le plan financier?

Pops parlait net.

– Èvidemment, ce n'est sûrement pas aussi substantiel que Farrington, répondit Cal en riant doucement, comme pour redonner à l'argent sa juste valeur. Vingt-cinq mille dollars en liquide et cinq mille autres dollars en dépôt fiduciaire qui vous reviendront plus tard, que nous prenions ou pas l'option...

Tandis que Pops, impassible, se caressait la barbe, Cal lança à Jasmine un regard persuasif:

– On pourrait imaginer que je garde la maison pour moi, ou bien on peut continuer à vendre vos antiquités. Le Pays d'antan pourrait constituer une source d'attraction supplémentaire pour l'auberge Robbin Roost.

Jasmine s'agrippa au rebord de la table et rectifia d'une voix ferme:

– Cette dernière suggestion est hors de question. Papa ne peut pas diriger le magasin tout seul et je dois mener ma propre carrière.

– Eh bien, les choses peuvent changer, non ?

Cal avait adopté un ton maussade. Il écrasa sa cigarette dans le cendrier, créant une pluie de petites étincelles.

Pops renversa la tête en arrière pour boire sa bière, et s'essuya la bouche du revers de la main.

– Jasmine a raison à propos de la boutique. A dire le vrai, j'ai l'intention de ralentir progressivement le commerce après son retour à Worcester, de façon à fermer définitivement dans peu de temps.

Jasmine regarda son père, émue et soulagée.

– Réfléchissez à mon offre, Pops, conclut Cal en émergeant des profondeurs des coussins. J'espère que vous comprendrez que ma position a plus d'avenir que celle de Farrington. Je ne supporte pas l'idée d'avoir la concurrence d'un fast-food derrière mon auberge.

Après le départ de Cal, Pops referma lentement la porte de la cuisine. Puis il déclara, avec une expression obstinée :

– Je ne suis pas d'accord avec Cal. Le projet de Farrington me paraît acceptable et je ne vois pas pourquoi je devrais douter de sa parole. De toute façon, il aura le dernier mot grâce à la municipalité.

Devinant que son père lui cachait quelque chose, Jasmine demanda :

– Qu'y a-t-il d'autre ?

Pops s'assit en face d'elle.

– Si je partage ma propriété avec Cal, que me restera-t-il ?

169

Une alarme se déclencha dans sa tête. Laurent, aurait-il convaincu son père de signer avec Farrington ? Mais pourquoi ? Elle posa les coudes sur la table.

— Si tu choisis la proposition de Cal, tu gardes ta maison pour au moins cinq ans et il te restera suffisamment d'argent, après les droits de vente, pour faire les voyages que maman et toi avez toujours différés à cause de moi.

Elle serra ses mains dans les siennes.

— Je sais, ma fille. Et il y aura cinq mille dollars supplémentaires si Cal n'honore pas son option.

Le cœur de Jasmine s'emballa sous le regard insistant de son père. Elle ajouta d'une voix ferme :

— Il te reviendra bien plus de cinq mille dollars si tu vends l'autre moitié. Je pense sincèrement que tu devrais te décider en sa faveur.

Pops ferma les yeux et la lumière dansait sur son visage.

— L'offre de Farrington me paraît diablement tentante.

— Tu mourras de voir détruire cette demeure, objecta Jasmine.

— Qui sait où je serai dans cinq ans ?

— Ne parle pas de la sorte. J'ai remarqué que pour un homme de ton âge, tu retrouves un entrain surprenant en présence d'une jolie veuve.

Jasmine eut du mal à trouver le sommeil, car elle se languissait des bras de Laurent, de sa peau tiède et musquée contre la sienne. Elle resta long-

170

temps étendue sur le dos à fixer la lune, jusqu'à ce qu'elle disparaisse derrière un nuage.

« Lune capricieuse », murmura-t-elle dans l'obscurité. Jasmine ne doutait pas un instant que Laurent nourrissait pour elle des sentiments profonds... Même s'il ne lui avait jamais avoué son amour. Doucement, parfois avec violence, il avait réveillé en elle cette femme dont elle avait toujours rêvé, lui faisant découvrir une passion aussi sauvage que la sienne. Cependant, son allusion évasive concernant la vente du terrain de son père la préoccupait. Gagner de l'argent, serait-ce à ses yeux plus important qu'elle?

La tête enfouie dans l'oreiller, Jasmine souffrait d'avoir cédé si naïvement. Après tout, en conseillant à son père de vendre au plus offrant, il songeait peut-être à Farrington. Demain, elle parlerait à Laurent.

Le lendemain vers douze heures trente, Jasmine avait perdu l'espoir de voir Laurent. Le compte à rebours avant le début du tournoi avait commencé et il devait s'entraîner toute la journée. Elle s'énerva davantage quand elle entendit une voiture rouler sur les cailloux du jardin. Encore un antiquaire matinal! Son père avait raison. Il était vraiment temps de se débarrasser de ce commerce.

Elle se pencha à la fenêtre et porta la main à son cou, son pouls battant à tout rompre. Laurent! Elle se précipita pour ouvrir la porte.

Devant son visage souriant et ruisselant de

sueur, ses doutes s'envolèrent. Elle lui passa les bras autour du cou tandis qu'il la soulevait du sol, explosant de joie.

– Jasmine!

Après une longue étreinte passionnée, il se détacha d'elle pour l'admirer.

– J'avais tellement envie de te voir que je n'ai pas pris le temps de passer sous la douche.

– Je voulais te parler.

Une ombre obscurcit son visage mais Laurent parut ne pas s'en rendre compte. Son regard heureux la tranquillisa. Elle ajouta d'un air dégagé :

– Tu es... superbe!

Elle le pensait sincèrement, hypnotisée par son visage hâlé respirant la santé. Mais il ne fallait pas perdre de vue ce qu'elle voulait lui dire. Elle regarda la pendule qui marquait une heure moins le quart.

– Oublions le magasin, dit Laurent. J'ai fini de jouer et le reste de la journée nous appartient.

Jasmine esquissa un sourire timide, tiraillée entre le désir de passer un moment avec lui et son besoin de tirer les choses au clair.

– C'est impossible, Laurent. Il y a des clients qui attendent.

– Qu'ils patientent! Jasmine, mon amour, je te veux à moi cet après-midi.

– Ce n'est pas cette satanée boutique qui m'angoisse, répondit Jasmine dans un mouvement d'impatience inattendu.

172

Elle hésita. Laurent et Cal entretenaient des rapports si fraternels qu'il devinait peut-être ce qui la préoccupait. Elle prit une longue inspiration avant de demander :

– Cal ne t'a rien dit, ce matin ?

– Je ne l'ai pas vu.

Laurent la dévisageait, perplexe. Cal et Jasmine... Puis, dissimulant son inquiétude, il la conduisit sur le canapé.

– Pourquoi cette allusion à Cal ?

Étonnée par l'angoisse de Laurent, elle posa les mains sur les siennes et éclata de rire :

– Il ne s'agit pas de ce que tu crois. Il a fait une offre définitive à Pops pour une partie de sa propriété.

Tout en parlant, elle observa son visage et vit la tendresse céder la place à un intérêt croissant. N'était-ce pas la réaction qu'elle souhaitait ? Elle reprit dans un souffle :

– Je n'arrive pas à convaincre mon père d'accepter, car Dan Farrington lui en propose quatre fois plus.

Jasmine secoua vivement la tête quand Laurent voulut répondre :

– Je voudrais tellement lui faire comprendre que les cinq années de sursis offertes par Cal lui donnent le temps de voir venir...

Elle ne quittait pas Laurent des yeux ; l'homme avait pris appui sur le rebord de la fenêtre. Seul le chant d'un oiseau brisait le silence qui régnait dans la pièce. Il se retourna et lui dit d'une voix douce :

– Je comprends son hésitation.

– Tu ne penses quand même pas qu'il devrait signer avec Farrington! s'indigna Jasmine.

Laurent retourna s'asseoir sur le canapé et prit Jasmine par la main.

– Quand on a l'expérience de ton père, on ne prend pas des décisions à la légère. Il a trop de bon sens pour se laisser dominer par les sentiments.

– Ne comprends-tu donc pas que l'argent ne joue aucun rôle dans cette affaire?

Jasmine avait envie de pleurer.

– Ton père n'accepta jamais que le dieu dollar gouverne ses pensées. Ton père sait ce qu'il fait et rien ne pourra l'influencer.

Il ajouta en caressant son doux visage:

– Ceci étant dit, je propose que... nous sortions d'ici pour prendre l'air.

– Sortir d'ici? Laurent, je t'en prie! J'ai la responsabilité de ce magasin.

– Tu as raison, ma chérie.

Il baissa la tête et, sous ses baisers, Jasmine oublia tous ses soucis. Ils se savaient tous deux en proie à un désir beaucoup plus intense. Il l'attira doucement contre lui, le regard voilé, et dit:

– Mon amour! Si je le pouvais, j'annulerais volontiers cette réception pour passer une nuit avec toi. Sais-tu que ta beauté va éclipser celle de toutes les autres femmes de la soirée?

– Je n'ai pas très envie de rencontrer les Farrington, répondit Jasmine, la réception de Diana jetant une ombre sur son bonheur.

174

Il dit tranquillement :

— Tu ne veux pas décevoir ton père, non ?
Maman lui tiendra compagnie.

— D'accord. Tu m'as convaincue.

Après avoir échangé avec elle un dernier baiser
enflammé, il sortit en criant :

— A ce soir, belle Jasmine !

11

PARE-CHOC contre pare-choc, les voitures encombraient les deux côtés de la rue. Dans le crépuscule, l'imposante maison en brique se dressait sur une colline, comme un château de conte de fées. Le rez-de-chaussée rayonnait de lumière et des éclats de rire dominaient la musique de l'orchestre.

— Ah! Warren Storms!

Un petit homme au visage autoritaire tendit la main à l'arrivant.

— Quelle joie de revoir Jasmine! ajouta-t-il.

En souriant, cette dernière plongea dans le regard rusé de son hôte.

— Tout Berkshire se retrouve ici, constata Pops en jetant un coup d'œil circulaire dans la pièce. Bonsoir, Fiona!

Le visage de Pops se dérida quand il s'adressa à la mère de Laurent. Elle dit à Jasmine :

— Laurent vous cherchait. Il est près de la piscine.

Vêtue d'une robe d'un bleu saphir qui rehaussait la couleur de ses yeux, elle aurait pu passer pour sa sœur.

Jasmine entra dans un salon monumental de style baroque pourvu de miroirs aussi hauts que les plafonds. Des doubles rideaux en velours blanc ornaient les portes-fenêtres qui donnaient sur la terrasse. Une élégance certaine régnait dans cette pièce totalement inhospitalière.

Une partie de la réception avait envahi les pelouses. Mais obéissant aux règles de la bienséance, Jasmine alla d'abord saluer son hôtesse.

Elle trouva Diana en grande conversation avec un groupe d'hommes vêtus de noir. Jasmine effleura son bras :

— Je te félicite. Ta réception est très réussie.

— Je le crois aussi, approuva Diana.

Des boucles de cheveux clairs balayaient ses joues quand elle bougeait et le lamé de son pantalon lui donnait des allures de déesse.

— Je te présente Lee Roberts, vice-président de la compagnie des Pétroles du Berkshire.

Cet homme de quarante ans environ, aux tempes argentées, avait l'insigne honneur d'avoir Diana à son bras.

— Lee et moi venons de nous découvrir un intérêt commun pour l'art, expliqua la jeune femme en jetant la tête en arrière de façon provocante.

— La presse, annonça le majordome.

Diana formula des excuses et les quitta.

— Voulez-vous boire quelque chose ?

La réponse de Jasmine fut interrompue par les premières mesures de *L'Hymne à la joie* que venait d'entamer l'orchestre. Laurent s'approcha, le regard brûlant de fièvre braqué sur elle. Cette mélodie leur rappelait les vagues de plaisir qu'ils avaient partagées. Ils se caressèrent des yeux et les discussions autour d'eux s'évanouirent.

Oubliant leur entourage, il la prit par les épaules et laissa sa main courir sur sa joue.

— Je vois que tu n'as rien à boire.

Cal agitait son verre sous le nez de Jasmine. Visiblement, il avait déjà beaucoup bu.

— Laurent, chéri! appela Diana, traînant derrière elle un photographe. Peux-tu nous accorder quelques instants?

Elle s'adressa à Jasmine.

— Excuse-moi de te le voler.

Ses yeux lancèrent des éclairs; elle s'amusait toute seule de ces propos à double sens.

— Je t'en prie, répondit tranquillement Jasmine.

Elle se jeta sur les petits fours, sans s'expliquer cette fringale subite.

— Je voudrais tellement que tu aies la même expression quand tu songes à moi, gémit Cal.

— J'étais plongée dans mes pensées, rien de plus.

Les yeux de Cal se tournèrent tristement vers son verre.

— Sais-tu si ton père a pris sa décision? Je me fais l'effet d'un Don Quichotte en train de lutter contre les moulins.

— Ne parle pas ainsi, gronda Jasmine avec un grand sourire. Va plutôt me chercher à boire.

Au bras d'un beau jeune homme, Scotty les salua :

– Bonsoir! Jasmine, je ne sais pas si tu connais Buddy Hale. C'est le concurrent numéro un de Laurent.

Buddy fit courir un doigt le long du petit nez de Scotty.

– Voilà un bien grand mot pour une petite fille.

Jasmine se sentit mal à l'aise sous ses grands yeux pâles qui la dévisageaient. Ce garçon avait quelque chose de rustre et elle s'énerva en voyant Scotty flattée par les marques d'attention de ce goujat.

– Viens, Scotty. Laisse-moi t'offrir un soda, proposa Cal.

A la réaction de Scotty, elle comprit qu'il avait commis une maladresse. Résolue à se montrer nonchalante, la jeune fille lui décocha un sourire aguicheur et répondit:

– Je regrette, mais il va falloir que tu patientes. Buddy a déjà promis de m'offrir une boisson pour adultes.

– La jeune dame a fait son choix, intervint Buddy. Que la fête commence, mon chou!

Ils s'éclipsèrent en éclatant de rire. Jasmine les suivit des yeux, gênée.

– Ne te tracasse pas, la rassura Cal. Buddy ne se lancera pas avec la petite sœur de Laurent.

Bien sûr, il avait raison. Elle porta la main à sa poitrine pour combler la sensation de vide. Qu'est-ce qui retenait Laurent si longtemps?

En le cherchant des yeux, Jasmine finit par découvrir Fiona en compagnie des entraîneurs et de leurs épouses respectives. Mais Pops n'était pas avec eux.

180

– Farrington a pris ton père à part, commenta Cal en regardant par la porte-fenêtre. Je devrais peut-être les interrompre.

– Ne t'inquiète pas pour lui. Personne ne pourra forcer mon père à faire ce dont il n'a pas envie.

– Je ne me fais pas de souci pour lui. Je m'inquiète pour moi, pour nous.

– Cal, il faut que tu me laisses en dehors de tout cela.

Elle avait l'impression de briser un lien très cher, mais elle ne savait pas comment agir autrement.

– Je n'ai jamais fait partie du projet.

Il secoua la cendre de sa cigarette dans son verre vide et dit d'une voix maussade :

– C'est Laurent ? Inutile de poser la question, je le lis sur ton visage.

Jasmine le regarda, incapable de répondre.

Il poussa un gros soupir puis lui caressa le bras. Ce geste inattendu et réconfortant lui donna envie de pleurer. Cal la réprimanda, se forçant à rire :

– Non, pas ça ! Je peux t'offrir à boire ?

Jasmine cligna des yeux et lui rendit son sourire. Puis elle plongea dans le spleen de la soirée.

– Jasmine !

Son cœur bondit. Qui l'appelait ? Elle vit son père en compagnie de Dan Farrington qui lui faisait signe. Ravalant sa déception, elle les rejoignit.

– Je tiens à ce que tu participes à cette discussion, insista Pops. Dan est disposé à me faire une nouvelle offre pour la propriété. Puisque tout ce que je fais te concerne de près ou de loin, tu as le droit de savoir.

Le visage de Dan Farrington restait impassible.

– Je serai bref, Warren... et Jasmine, bien sûr.

Elle se hérissa, bouillant intérieurement devant le machisme de cet individu.

– Premièrement, laissez-moi clarifier un point : j'ai appris que Cal Robbins s'est plus ou moins porté acquéreur, mais son intervention n'a absolument pas influencé la nouvelle que je veux vous soumettre.

Il émit une toux de vieille dame aux allures affectées qui chercherait à se libérer d'un chatouillis dans la gorge.

– Le complexe que je prévois donnera à la région une véritable bouffée d'oxygène.

– Attendez, dit Popos en levant la main, un sourire décontracté aux lèvres. J'admire beaucoup votre projet, mais je ne vous ai pas encore donné mon accord.

– Je n'aime pas laisser traîner les choses, rectifia Farrington, dépourvu d'humour. Ce que vous appelez mon « projet » revient à ceci : je suis disposé... maintenant... à vous offrir cent vingt-cinq mille dollars pour votre propriété.

Le regard perplexe de Jasmine croisa celui de son père. « Eh bien, songea-t-elle, il la veut vraiment ! »

– Alors, qu'en dites-vous ?

– Je ne sais pas.

Pops se passa la main dans les cheveux.

182

– C'est une grosse somme d'argent.

– Vous auriez tort de refuser, répondit Farrington d'une voix tranchante. De toute façon, je réussirai à vous convaincre.

La réponse de Pops, à la limite du désintérêt, lui avait valu cette réaction glacée.

– Warren, si vous n'avez pas la sagesse de sauter sur l'occasion, j'ai un autre projet en vue. Réfléchissez. Je vous donne une semaine pour prendre votre décision.

– N'allez-vous pas un peu vite en besogne? intervint Jasmine. A propos, comment comptez-vous obtenir l'autorisation d'ouvrir un de vos fast-foods dans un site aussi exceptionnel?

– Vous me harcelez, jeune fille. J'aimerais savoir pourquoi.

Jasmine poursuivit d'une voix doucereuse:

– Je ne vous harcèle pas pour le compte du cadastre. Je cherche seulement à comprendre la raison de votre précipitation.

– Mais comment pouvez-vous hésiter entre une offre aussi ridicule et la somme que je vous propose?

– C'est simple, répondit Pops d'une voix cassante. Il y a beaucoup plus en jeu qu'une simple question pécuniaire.

– La loyauté et l'amitié, par exemple, ajouta Jasmine, espérant que ses propos l'inciteraient à dévoiler sa véritable personnalité.

Son œil glacial dévisagea Jasmine quelques instants tandis qu'il esquissait un vague sourire. Il lui parut inutile d'insister.

– Eh bien, je ne vous forcerai pas. Mais n'oubliez jamais que la valeur de tout individu se mesure à ses ressources financières. C'est l'argent qui fait l'homme.

Choquée par ces propos, Jasmine en resta bouche bée, mais Pops s'étrangla de rire. Fiona avait suivi la scène depuis la porte-fenêtre et, sans leur laisser le temps de réagir, elle intervint en regardant Farrington droit dans les yeux :

– Je ne dis pas que la richesse n'offre pas certains privilèges. Mais vous vous trompez lourdement si vous croyez pouvoir acheter l'affection ou le respect.

– Entendre de telles platitudes dans la bouche d'une femme d'affaires aussi avisée que vous me surprend, bredouilla Farrington, furieux.

– Il est navrant de voir que la fortune vous a perverti l'esprit, répondit Fiona d'une voix douce. L'argent ne garantit pas le succès dans la vie.

– S'agit-il d'une discussion privée ou bien un clochard du tennis peut-il se joindre à vous ?

La voix grave de Laurent balaya tous les problèmes de Jasmine.

– Tu arrives à point, s'exclama Farrington en éclatant d'un rire qui sonnait faux. Ils se sont tous ligués contre moi.

Brusquement, il se retourna vers Cal.

– Viens par ici. J'ai à te parler.

En équilibre instable sur ses jambes, Cal attendit que Pops et Fiona s'éloignent. Cal avait l'œil

184

vitreux et les gestes incertains. Il constituait une proie bien facile pour un prédateur.

Un sourire satisfait aux lèvres, Laurent descendit l'escalier de la terrasse, Jasmine à son bras. Il lui demanda :

— Que se passe-t-il?

— Farrington. Tu ne crois pas qu'il essaie de faire pression sur Cal pour qu'il renonce à sa proposition? Pops n'a pas sauté d'enthousiasme devant les vingt-cinq mille dollars que Farrington vient de lui faire miroiter.

Laurent s'arrêta sur la dernière marche en fronçant les sourcils.

— La propriété les vaut.

Jasmine continua :

— Je le soupçonne de demander à Cal de se retirer, afin que Pops n'ait aucun recours. Il a une semaine pour se décider.

Elle scruta le visage de Laurent dans l'attente d'une réaction de sa part et vit son air absent.

— Laurent, tu ne m'écoutes pas.

— Mais si! Il peut arriver tant de choses en une semaine...

— Et si tu parlais à Pops?

— Je le ferai dès que possible.

Il posa le doigt sur ses lèvres et ajouta :

— Maintenant, nous allons faire un tour dans le jardin. J'ai envie de t'avoir à mon côtés. Après cette séance de photos, j'ai bien mérité un peu de répit.

La voix de Laurent agit comme une étincelle dans son esprit et l'univers des Farrington où régnait le veau d'or lui sembla bien loin.

L'attention de Laurent fut attirée par le rire de Scotty que Buddy Hale prenait dans ses bras en menaçant de la jeter dans la piscine.

Il caressa la nuque de Jasmine et ses doigts glissèrent sous le fin collier en un geste à la fois possessif et nerveux.

— Partons! Je t'appartiens pour le reste de la soirée.

— C'est ce que tu crois, chuchota Jasmine, en désignant de la tête Diana qui traversait la pelouse en courant.

— Mon Dieu, je regrette d'avoir à te séparer de Jasmine une nouvelle fois, expliqua Diana, une expression de sincère embarras au visage. Papa tient absolument à avoir ton avis sur une affaire. Ça ne t'ennuie pas trop? Il t'attend dans la bibliothèque.

— Je n'ai pas de chance, répondit sèchement Laurent. Veux-tu m'attendre ici un moment? Je n'en ai pas pour longtemps.

L'humeur de Jasmine s'assombrit quand elle vit sa silhouette se perdre dans la foule. « Quand Dan Farrington sonne, songea-t-elle, Laurent O'Brien lui-même se précipite. »

— Je t'ai cherchée partout.

Son père s'approchait d'elle en jouant des coudes.

— Je ramène Cal chez lui avant qu'il tombe ivre mort. Il n'est vraiment pas en état de reprendre le volant. Tu veux bien rentrer seule? Reste encore en peu, si tu veux.

Ainsi, cette soirée qui avait paru pleine de promesses tournait à la farce. Jasmine mentit à son père :

– Je me sens très lasse. Je pars aussi.

Elle s'apprêtait à remercier Diana quand elle entendit la voix de Laurent dans la bibliothèque.

– Vous avez ma parole, mais accordez-moi quelques jours. Je ferai l'impossible pour le convaincre.

Jasmine en resta médusée. Les battements de son cœur résonnaient à ses oreilles, étouffant le bruit des pas de Laurent qui s'approchait d'elle.

– Ça me fait plaisir que tu m'aies attendu. Je te ramène chez toi ?

Ses mains chaudes se posèrent sur elle.

– Merci, mais j'ai ma voiture.

Elle s'écarta de lui.

– A demain.

Jasmine sentit son estomac se nouer.

– Non ! J'ai surpris ta conversation et tu m'as menti.

D'un geste ferme, Laurent la fit pivoter. Il murmura d'une voix rauque :

– Que diable veux-tu dire ?

– Tu le sais très bien, répondit Jasmine, tremblant de rage. Tu as trahi ma confiance.

Des larmes de confusion et d'indignation aux yeux, Jasmine poursuivit :

– Quand je t'ai fait part de mes craintes au sujet de l'offre de Dan Farrington, tu m'as promis de parler à mon père sans me dire ce que tu avais l'intention de lui raconter. En fait, tu lui as conseillé de vendre au plus offrant. Ne viens-tu pas de donner ta parole à Farrington ? lâcha-t-elle s'étranglant à demi.

Laurent ouvrit la bouche pour répondre, puis il se ravisa. Il lança d'une voix lasse :

– Tu ne peux pas comprendre.

– L'ennui, Laurent, ajouta froidement Jasmine, c'est que dans cette histoire, j'occupe la dernière place dans tes préoccupations.

Craignant d'éclater en sanglots en public, Jasmine se hâta de sortir.

12

Au fur et à mesure que la semaine s'écoulait, le chagrin de Jasmine devenait de plus en plus intolérable. Avait-elle condamné Laurent trop hâtivement? Sa voix lasse et son regard étonné la hantaient. Aurait-elle pu se méprendre sur ce qu'elle avait entendu? Que penser? Elle savait seulement qu'elle venait de tout gâcher avec le seul homme qu'elle avait vraiment aimé dans sa vie.

S'il y avait eu un téléphone dans sa villa du lac, elle l'aurait appelé pour en avoir le cœur net. De son côté, Laurent ne faisait aucun effort pour la contacter ni pour chercher à parler à son père.

Jasmine passait ses matinées sur sa planche à dessin tandis que Laurent hantait ses pensées. Les après-midi, elle dépensait son énergie dans le magasin. A la fermeture, elle faisait l'inventaire et consacrait le reste de ses soirées à fixer des rendez-vous téléphoniques à des agents immobiliers. Elle n'avait plus rien à faire chez Cal qui voulait que tout soit terminé avant le premier septembre, jour de la fête du Travail.

Elle voyait peu son père. Parti avant huit

heures du matin, Pops déjeunait d'un sandwich et allait directement à Lenox assister au tournoi.

Ce soir-là, Pops lui raconta avec quelle facilité Laurent avait remporté le match et précisa qu'il s'apprêtait à disputer les quarts de finale du vendredi.

Pops avala une bière avec avidité et reprit :

– Il a éliminé ce jeune Espagnol en moins de temps qu'il n'en faut pour le dire.

Soulagée, Jasmine concentra son attention sur la friture qu'elle préparait. Chaque jour, son estomac se nouait un peu plus, car si Laurent perdait, il n'aurait plus aucune raison pour rester dans la région. Alors, du même coup, son vague espoir de voir les choses s'arranger se verrait balayé. Faisant de son mieux pour que sa voix paraisse aussi neutre que possible, elle demanda :

– Qui joue demain ? Un autre pantin ?

Son père lui lança un regard perçant.

– Un gars de Brooklyn, un des meilleurs. La rencontre de samedi pourrait se jouer entre le grand Australien, ou le joueur classé huitième. Je crois qu'il s'appelle... Hadden.

Il éclata de rire en s'écroulant sur le canapé.

– Laurent a la résistance et la volonté nécessaires pour les battre tous. Mais si Hale continue sur sa lancée, il se retrouvera dimanche face à Laurent. La foule attend cette épreuve de force.

Après un moment d'hésitation, il demanda mais sans conviction :

– Tu as l'intention de venir voir la finale ?

– Peut-être, répondit Jasmine d'un ton évasif.

En bâillant, Jasmine se servit du café. Elle prit le bol fumant entre ses paumes et s'assit face à son père qui versait du lait sur ses céréales. Pops avait les traits tirés. Soudain, l'inquiétude assaillit Jasmine.

— Tu as des soucis? Laurent est venu te voir ce matin? J'ai cru entendre parler...

— Non.

Légèrement étonné, son père la regarda droit dans les yeux, et ajouta :

— Jasmine, nous avons un problème. Cal a changé d'avis.

— Pourquoi?

— Je l'ignore, mais il a insisté sur le fait que cette décision venait de lui seul et s'est contenté de préciser qu'il retirait son offre. Il semblait avoir peur de quelque chose et avait hâte de partir.

— Tu aurais dû lui demander si sa raison s'appelait Dan Farrington, rétorqua Jasmine, furieuse.

— C'est ce que j'ai fait, répondit son père d'un ton sec. Nous avons tous les deux vu la scène qui s'est déroulée pendant la réception. Je crois qu'une fois cuvé son vin, Cal a décidé de s'en sortir d'une pirouette en me racontant que ses clients pouvaient trouver un fast-food aussi pratique qu'un snack.

Jasmine se renfrogna :

— Il doit y avoir autre chose qu'il n'a pas voulu avouer.

Elle se frotta les tempes en réfléchissant. Avait-elle surpris Laurent et Dan Farrington en train de parler de son père ou bien de Cal ? De toute façon, cela ne changeait rien. Que Laurent ait promis de « faire tout son possible » pour convaincre Pops de vendre à Farrington ou pour forcer Cal à se retirer, ce rapace de Lenox et lui marquaient un point.

— Quel dommage ! dit Pops en se dirigeant vers l'évier pour laver son bol. Juste au moment où j'avais pris la décision de ne rien signer avec Farrington !

L'air triste, il ajouta :

— Maintenant, je n'ai plus qu'à dire oui à ce requin.

Les larmes aux yeux, Jasmine se jeta dans les bras de son père.

— Non, tu ne peux pas faire ça. Tu as une semaine pour réfléchir. Promets-moi de patienter jusque-là.

Il se dégagea de son étreinte et la serra doucement contre lui.

— Jasmine, essaie de comprendre. Il s'agit d'une somme d'argent considérable et en outre, quand Farrington se met quelque chose en tête, il n'abandonne pas aisément.

Pops prit ses clés de voiture.

— Tu as gagné, dit-il avant de sortir. Je vais le laisser mijoter.

Lorsque la porte se referma, Jasmine sursauta. Il lui fallait agir. Si Laurent était intervenu, comme tout le laissait croire, c'était à lui qu'elle

192

devait s'adresser. A condition qu'il l'écoute. Et pourquoi le ferait-il, après tout ce qu'elle lui avait dit? Car elle avait peut-être découvert la vérité...

Tandis qu'elle méditait, son regard se posa sur un sandwich enveloppé dans une feuille de cellophane qui traînait sur la table. Pops l'avait sûrement oublié. Jasmine sauta sur ce prétexte et sortit de la maison en courant.

Alors que Jasmine faisait le tour du pâté de maisons où se trouvait le magasin de son père pour y chercher une place de parking, elle vit Laurent traverser la rue d'un pas désinvolte. Quand il se retourna à demi pour ouvrir la portière de sa Jaguar noire, elle aperçut son visage. La satisfaction qu'elle y lut lui déchira le cœur.

En regardant partir les derniers chineurs de cette fin de matinée, Jasmine lutta contre la tentation de fermer le magasin et d'aller voir jouer Laurent. Inutile, car elle ne pourrait peut-être même pas lui parler. Le lendemain, à bout de nerfs, Jasmine accrocha la pancarte « Fermé » sur la porte du Pays d'antan. Laurent jouait contre l'Australien à une heure.

Les tribunes croulaient sous la foule. Ayant réussi à trouver une place dans le haut du stade, Jasmine tâchait de s'habituer aux verres teintés de ses lunettes de soleil. Un tonnerre d'applaudissements explosa. Son regard balaya l'Australien pour se diriger vers le fond du court. Un jeu d'ombres et de lumières éclairait les épaules musclées de Laurent quand il se pencha sur sa raquette. Il effectua son service dans un mouvement délié. La balle s'envola dans le ciel et heurta la raquette de son adversaire.

« Fais un jeu blanc », hurla une voix derrière Jasmine. Laurent leva la tête en direction des gradins, inondés de soleil. La jeune femme se recroquevilla et son cœur s'accéléra. Elle fut persuadée qu'il l'avait vue. Puis le champion se remit en position et se concentra. Les muscles de ses longues jambes luisaient de sueur et la détermination se lisait sur son visage.

Jasmine souffrait. Comment avait-elle pu imaginer qu'ils se retrouveraient après le match? Il se moquait bien de ses sentiments. Malgré son envie de partir, la crainte de se faire remarquer en se levant la paralysa. Elle assista à la fin du match et au triomphe de Laurent. Pendant que les fans envahissaient le court en criant son nom, Jasmine prit la fuite.

Trop énervée pour rentrer chez elle, elle se rendit au centre commercial de Pittsfield faire des courses.

La nuit commençait à tomber quand elle arriva devant Le Pays d'antan. Si son attention n'avait pas été captée par la camionnette qu'elle surveillait dans son rétroviseur, Jasmine aurait vu une Jaguar noire sortir de chez elle.

13

La menace d'un orage n'avait pas découragé les spectateurs. A la fin du tournoi, on avait accroché des banderoles aux couleurs de la compagnie des Pétroles du Berkshire pour délimiter les tribunes d'honneur. Parmi la foule, Jasmine repéra Cal, puis Diana en compagnie de Lee Roberts. Celle-ci arborait un ensemble dont les teintes s'harmonisaient à la publicité du sponsor du tournoi.

Jasmine prit place au-dessus de toutes ces célébrités, entre Fiona et son père. Dans cette ambiance fiévreuse, elle retrouva le rythme saccadé de son cœur qui l'avait accompagnée à chaque finale de tennis.

Son père se montrait anormalement gai et des bribes de phrases lui parvenaient malgré la clameur du public.

– Je ne peux pas me permettre de refuser une telle offre, dit Pops d'un ton mielleux qui exaspéra sa fille.

Laurent et Buddy Hale se préparaient à s'affronter dans la finale qui allait commencer.

Scotty les rejoignit et Pops dut bouger un peu pour faire de la place. La jeune fille expliqua :

— Laurent dit qu'il foncerait bien jusqu'ici s'il en avait le temps, mais le match démarre bientôt.

— Il a besoin de se concentrer, ajouta Fiona qui fit signe de la main à son fils, affalé sur un banc et la tête levée dans sa direction.

Un bref instant, ses yeux se transformèrent en deux éclats de diamant quand ils croisèrent le regard de Jasmine. Leur étrange indifférence lui perça le cœur.

— Depuis des semaines, il ne vit que pour cela, renchérit Scotty. C'est le moment le plus important de sa vie.

Les yeux de Jasmine s'emplirent de larmes devant la franchise de sa sœur. Il n'y avait plus aucune raison de croire que Laurent tenait encore à elle. Des applaudissements crépitèrent çà et là tandis que les spectateurs regagnaient leur place. Les ramasseurs de balles s'accroupirent près du filet et Fiona posa la main sur celle de Pops.

Peu à peu, Jasmine oublia son chagrin devant l'action qui se déroulait sous ses yeux. Le public acclamait les points marqués et sifflait les fautes, n'ayant pas encore choisi son camp. Après presque trois heures de jeu, les deux adversaires se partageaient les quatre premiers sets.

Au moment où Laurent servait le cinquième set, celui qui était décisif, Pops ronchonna :

— Il ferait mieux de changer sa tactique. Il fait trop de doubles fautes. On dirait que quelque chose l'empêche de se concentrer.

Le score marquait 5 à 4 en faveur de Buddy. Laurent égalisa, mais Buddy reprit l'avantage et se prépara pour la balle de match. D'un revers impitoyable, Laurent l'obligea à un coup droit périlleux, ce qui lui redonna l'égalité.

Retrouvant son agressivité, Laurent alterna les lifts et les amortis en promenant son adversaire sur le court. Le dixième jeu se termina après un échange épuisant avec 5 partout. Laurent remporta le suivant grâce à un ace gagnant.

Pops jeta un coup d'œil vers la tribune de la presse où les journalistes prenaient des notes.

– Je voudrais que Laurent voie ça.

Après qu'il eut repris les services de Buddy et marqué les quatre points du jeu, le match se termina rapidement sur la victoire de Laurent.

En le regardant sauter par-dessus les gradins, Jasmine se sentit prise d'un vertige. Toutes les phrases rationnelles qu'elle avait préparées dans sa tête s'envolèrent au moment où il les rejoignit. Elle prit une voix polie pour dire :

– Bravo.

Fiona, Scotty et Pops le félicitèrent ensemble. Diana l'appela en agitant son écharpe bleu clair. Laurent s'excusa :

– Il faut que j'y retourne pour recevoir le trophée et assister au cirque habituel.

Son sourire triomphant se voila en s'attardant sur Jasmine. Il lui dit d'un ton cassant :

– Ravi de te revoir !

Il déboula les marches et retrouva les officiels municipaux et les photographes.

Après avoir regardé sa montre, Fiona dit en s'adressant à Pops :

— Partons! Nous avons rendez-vous à cinq heures trente.

Des amis les attendaient pour dîner.

La fière maman ne put s'empêcher d'assister avec émotion à la remise de la coupe. Lee Roberts serra la main de Laurent devant les caméras.

— Pourquoi ne pas venir prendre un rafraîchissement à la maison avant d'aller chez vos amis? proposa Jasmine.

— Excellente idée, renchérit Pops.

Puis, il demanda à sa fille :

— Tu ne veux vraiment pas rester?

— Non, vraiment.

Elle mourait d'envie de quitter cet endroit au plus vite. Son histoire avec Laurent était bien finie. Après tout, leur amour n'aurait duré que le temps d'un match de tennis.

Après le départ de Fiona et de Pops, Jasmine se sentit plus déprimée que jamais. Elle décida de faire ses valises. D'ailleurs, l'été touchait à sa fin. D'humeur maussade, elle passa en revue son emploi du temps. Si elle partait en milieu de semaine, elle pourrait commencer à dessiner une nouvelle collection.

De toute façon, quoique son père décide, il ne verrait aucun inconvénient à ce qu'elle le quitte en milieu de semaine. Fiona avait laissé comprendre qu'elle resterait dans la maison du lac jusqu'à la mi-septembre.

La chanson *Au cœur de septembre* lui traversa l'esprit. Ce n'était pas la première fois qu'elle pensait à son père et à Fiona... et qu'elle se prenait à rêver.

La jeune femme plia la table à dessin et la porta dans le coffre de sa voiture. L'air lui semblait plus lourd que jamais et le vent se levait. Quand la sonnerie du téléphone retentit, elle se précipita dans la cuisine prise d'un fol espoir.

— Oh! Cal!... Je te remercie, mais je ne peux vraiment pas passer maintenant. Je termine mes valises.

Il y avait une réception chez Cal et, à travers le brouhaha des invités, elle l'entendit la supplier de venir les rejoindre.

— Bien, peut-être plus tard, conclut Jasmine.

Elle savait déjà qu'elle n'irait pas, si Laurent ne venait pas la chercher. Elle remonta dans sa chambre pour prendre un bain chaud. Seul le bruit de l'eau venait troubler le silence de la maison.

Le cœur de Jasmine bondit quand la sonnette d'entrée tinta. « Laurent! » Elle dévala l'escalier sans avoir eu le temps de passer un vêtement plus flatteur. Elle ouvrit la porte d'une main fébrile.

Diana fit son entrée, un sourire sur ses lèvres rose nacré. Jasmine fit un effort surhumain pour ravaler sa déception. Diana alla droit au but :

— Je ne fais que passer, car j'ai un message pour toi.

« De la part de Laurent? » songea aussitôt Jasmine tandis que les battements de son cœur s'accéléraient.

— Lee trouve le travail que tu as fait pour Robbin Roost absolument fantastique. Il va te contacter directement, bien sûr, mais il m'a demandé de voir ta réaction avant ton départ.

Plus étonnée que flattée, Jasmine fronça les sourcils.

— Ma réaction sur quoi?

— La compagnie des Pétroles du Berkshire déménage ses bureaux à Stamford et Lee veut te confier la décoration des nouveaux locaux. Que dois-je lui dire?

— J'aimerais avoir plus de détails, répondit Jasmine en essayant de gagner du temps.

Elle n'arrivait pas à montrer plus d'enthousiasme devant ce contrat inespéré qui lui donnait la possibilité de se promouvoir comme décoratrice patentée. Elle continua :

— Tiens, voici ma carte. Demande-lui de m'appeler à mon bureau de Worcester.

— Ainsi tu as l'intention de nous quitter? Tu permets que je te dise quelque chose? D'après ton costume, j'en déduis que tu n'iras pas chez Cal...

Elle hésita un instant et rejeta une mèche de cheveux en arrière.

— Je me suis trompée sur Laurent, dit Diana. Sans doute trop volage pour moi... Mais tout ceci est du passé et il n'en demeure pas moins un être exceptionnel. Voilà pourquoi je me permets de te dire que malgré sa victoire, il a une mine horrible. Et je suppose que tu en connais la raison.

Jasmine secoua la main pour protester. Mais Diana ajouta :

– Buddy Hale et les autres font la fête et se racontent leurs matchs, tandis que Laurent reste assis sans desserer les dents. Il se comporte plus en perdant qu'en vainqueur.

– Il est probablement fatigué.

– A son âge? Et avec sa forme physique? Je n'ai jamais vu un homme affublé d'un tel cafard. Ne le laisse pas t'échapper.

Elle effleura le bras de Jasmine et murmura :

– Seigneur, je crains d'en avoir trop dit.

– Peu importe, mais tu fais fausse route. Je ne représente rien pour Laurent.

– Si tu le dis... rétorqua Diana dans un haussement d'épaules.

Jasmine détourna les yeux et saisit la première idée qui lui traversa l'esprit :

– Scotty doit bien s'amuser chez les Roost avec Laurent et Buddy.

– Scotty? Je ne l'ai pas vue, pas tant que j'y étais.

Diana se concentra, essayant de se souvenir.

– Je crois qu'elle a rendez-vous avec Buddy plus tard dans la soirée. Elle m'a parlé d'une île romantique au milieu du lac.

Le sourire de Diana se crispa lorsqu'elle lança :

– J'espère qu'elle sait ce qui l'attend.

Sur le pas de la porte, elle effleura la joue de Jasmine de ses lèvres fraîches.

Trop énervée pour raisonner sainement, Jasmine resta un moment immobile puis elle monta dans sa chambre et tomba au pied du lit. Ensuite, elle se dirigea vers la fenêtre où elle jeta un regard vide sur le toit de l'auberge Robbin Roost où la fête battait son plein.

« Scotty ! » Jasmine se rappela le rendez-vous de la jeune fille avec Buddy Hale sur le lac. Elle était beaucoup trop jeune, beaucoup trop confiante pour affronter un homme comme Buddy. L'inquiétude la tira de sa mélancolie.

« Eh bien, on dirait que tout dépend de moi », songea Jasmine.

Elle prit tout juste le temps de mettre des chaussures avant de descendre l'escalier quatre à quatre.

14

Un roulement de tonnerre accompagné d'éclairs déchirant le ciel surprit Jasmine au volant de sa Mustang. Brusquement, la pluie se mit à tomber comme un rideau. Terrorisée, Jasmine revivait son cauchemar et luttait contre la crise de panique.

« Scotty. » Jasmine entendit le murmure de sa propre voix. Le cœur battant, elle sortit de l'allée et prit la route de Stockbrige.

Elle sentait les muscles de son dos se détendre au fur et à mesure que l'orage s'apaisait. A son arrivée devant la voie privée qui menait aux villas du lac, les nuages avaient disparu.

Jasmine tourna devant la pancarte « O'Brien » et s'arrêta. A demi dissimulée par un épais écran d'arbres, la propriété se mêlait gracieusement aux troncs blancs des bouleaux qui s'élançaient vers le ciel. Elle sonna à la porte d'entrée, mais n'obtint aucune réponse. Rongée d'inquiétude, elle s'acharna sur la sonnette, toujours sans succès.

Gagnée par la peur, Jasmine se précipita sur la

jetée. Les collines du Berkshire absorbaient les derniers rayons du soleil, laissant encore deviner la plage ainsi que la petite île qui s'enveloppait d'un manteau d'obscurité. Seule sur le lac, Scotty ramait maladroitement dans un canoë.

Jasmine trouva une petite barque retournée sur les galets, mais les rames restèrent introuvables. C'est alors qu'elle vit Scotty perdre le contrôle de l'embarcation et chavirer.

– Scotty! hurla Jasmine. Tiens bon!

Elle plongea dans le lac.

Remontant rapidement à la surface, elle scruta le crépuscule à la recherche de la jeune fille.

En quelques minutes, son crawl puissant la mena jusqu'au canoë. Quand elle posa les mains sur la quille, Scotty venait de lâcher prise. Jasmine la rattrapa de justesse. En voyant sa blessure entre les yeux, elle jugea préférable de la tirer de l'eau rapidement. Elle prit l'adolescente sous les bras et nagea jusqu'à l'île. Elles s'écroulèrent toutes deux sur la plage.

Jasmine effleura du doigt la blessure de Scotty.

– Tu reviens de loin. Comment te sens-tu?

– Mieux, répondit Scotty en frissonnant. Que faisons-nous maintenant?

– Restons assises un instant pour récupérer.

Scotty tourna un visage livide vers Jasmine.

– J'ai agi comme une sotte, non?

– Seulement si tu le penses, la rassura Jasmine d'une voix paisible.

Elle souhaitait ses confidences.

– Je ne peux pas vous mentir, pas après ce que vous venez de faire pour moi.

Les larmes aux yeux. Scotty expliqua :

– J'avais rendez-vous avec Buddy vers sept heures. Je l'ai d'abord attendu longtemps à la maison puis, ne le voyant pas arriver, j'ai cru que j'avais peut-être mal compris et que je devais le retrouver là-bas. Je ne savais pas où maman avait caché les rames et j'avais peur qu'il ne m'attende pas. Vous savez...

Elle s'arrêta pour reprendre sa respiration. Hésitant entre l'attendrissement et la colère, Jasmine se décida à lui faire de légers reproches.

– Les canoës sont dangereux quand on n'a pas l'habitude de les manœuvrer.

– Je m'en suis aperçu, murmura Scotty en se prenant les genoux dans les bras. J'ai eu la chair de poule en songeant à la bêtise que je m'apprêtais à faire avec Buddy. Et plus j'avais peur, plus je ramais mal, jusqu'à ce que... Oh! Jasmine...

Elle éclata en sanglots et s'essuya les yeux avec les doigts.

– J'étais au courant de ton rendez-vous, lança Jasmine d'un ton dégagé. Cela ne me regardait pas, mais je m'inquiétais pour toi. Alors je suis venue.

– Quand la barque a chaviré, j'ai repensé à vos paroles de l'autre jour, vous savez... Il ne faut pas précipiter les choses, dans la vie.

Jasmine s'agenouilla près d'elle et prit la jeune fille dans ses bras.

– Je voudrais tant vous ressembler et avoir votre force de caractère...

Jasmine resserra son étreinte. « Scotty, si tu

savais ! » pensa-t-elle tristement. Elle se sentait au bord des larmes et cacha son visage dans la crinière auburn. Le désespoir, plus fort que jamais, l'assaillit.

Le lac chuchotait doucement sur les pierres. Jasmine leva la tête :

— Il y a quelqu'un à la maison, dit Scotty en montrant la villa.

Une lumière déchira l'obscurité puis s'éteignit.

— Qui que ce soit, il ferait mieux de nous donner un coup de main, chuchota Jasmine.

Elle se leva brusquement et dit à Scotty :

— Je pars chercher du secours. Toi, tu restes assise ici. Je crois que tu vas bien mais je préfère ne pas courir de risque. D'accord ?

Scotty eut un léger frisson et répondit :

— D'accord.

Jasmine se laissa glisser dans l'eau. Avec précaution et sans bruit, elle longea la jetée et s'arrêta net en entendant des bruits de pas. Un homme surgit de l'ombre. Les rayons de la lune faisaient briller sa chevelure flamboyante.

— Laurent !

Jasmine trébucha et tomba dans ses bras. Quand leurs corps se touchèrent, elle ressentit une joie sauvage et dit d'une voix incrédule :

— Enfin, toi !

Après un long baiser, Laurent s'écarta d'elle.

— Qui d'autre attendais-tu ?

— Buddy.

Devant la surprise de Laurent, elle s'empressa de lui raconter la mésaventure de Scotty.

— Ma sœur t'a dit qu'elle avait rendez-vous avec Buddy? La dernière fois que je l'ai vu, il gisait ivre mort sur le canapé des Roost.

Jasmine décela dans sa voix la colère et la tendresse.

— Comment réagit-elle?

— A seize ans, on n'aime pas se voir posé un lapin.

Il se tourna brusquement vers elle :

— Tu te souviendrais de l'endroit où le canoë a chaviré?

Aussitôt, il ôta ses chaussures dans lesquelles il rangea sa montre et son portefeuille.

— Je vais avoir besoin de ton aide pour retourner le canoë et retrouver la pagaie.

Jasmine approuva d'un signe de la tête et elle demanda malgré elle :

— Pourquoi es-tu venu?

Elle aurait voulu se pincer pour se prouver qu'elle ne rêvait pas et qu'il se trouvait bien devant elle.

Il répondit en la caressant des yeux :

— Je ne supportais plus de ne pas savoir si tu viendrais chez Cal, alors je me suis rendu chez toi et je n'ai pas vu ta voiture. Il tombait des cordes et je savais à quel point tu avais peur de conduire sous la pluie. J'ignore pourquoi, mais j'ai aussitôt pensé à Scotty. Cela m'ennuyait de la savoir seule ici.

Il prit le visage de Jasmine dans ses mains et ajouta :

— J'étais sûr que tu irais aider ma sœur au péril de ta vie.

Trop émue pour répondre, Jasmine resta silencieuse.

— Allons-y, dit-il en lui prenant la main.

Elle le suivit dans l'eau. Ils retrouvèrent le canoë échoué sur le bord de l'île.

Soulagée de les voir approcher, Scotty ne pouvait maîtriser un tremblement nerveux à la commissure de ses lèvres. Elle regarda son frère d'un air honteux.

— Mais tu trembles, dit Laurent d'un ton bourru en tirant sur sa queue de cheval. Qu'est-ce que tu veux ? Refaire chavirer la barque et nous faire tous boire la tasse ?

Laurent poussa sa sœur du coude.

— Retournons à la maison te mettre au lit avant que tu n'attrapes une pneumonie.

Il fut inutile de bercer Scotty. Elle avait encore les yeux affolés lorsque Jasmine tira la couverture sur elle et déposa un léger baiser sur sa joue. Avant même que Laurent ait refermé la porte de sa chambre, ses paupières s'étaient fermées toutes seules.

Jasmine se trouvait ridicule dans le T-shirt beaucoup trop grand pour elle que lui avait prêté Laurent. Elle mit une touche de fard avant de le rejoindre dans la cuisine. Cette coquetterie lui était indispensable pour dissimuler le contrecoup du choc qu'elle avait subi en voyant Scotty frôler la mort. Et aussi pour cacher sa gêne de se retrouver face à Laurent sans savoir que lui dire.

— Tu n'en as pas besoin, dit-il en jetant son sac à main sur une chaise. Tu ne pars pas.

208

Il passa la main dans ses cheveux encore humides tandis que son regard vif plongeait dans le sien, lançant des étincelles. Le contact de ses doigts déclencha une vague chaleur incontrôlable.

Jasmine voulut ouvrir la bouche pour protester, mais il colla son corps contre le sien, lui coupant la respiration. Elle entendit leurs cœurs battre à l'unisson tandis qu'il l'embrassait avec passion.

« Non, pas ça », songea Jasmine en silence. Rassemblant toute sa volonté, elle lutta contre cette sensation de faiblesse qu'elle sentait naître en elle. La jeune femme s'écarta de lui et il en resta immédiatement les bras ballants de surprise.

– Que se passe-t-il?

Puis son visage se détendit.

– Tu as le droit d'être contrariée.

– Contrariée? Le mot est faible!

Un instant, ses yeux lancèrent des éclairs, puis le feu se calma.

– J'aurais aimé comprendre, mais nous ne parlons pas la même langue, toi et moi. A quoi bon? Il vaut mieux que je parte.

Elle ramassa ses affaires.

– Je ne te laisserai pas t'enfuir, pas avant que tu m'aies écouté.

Il lui prit les poignets et la fit pivoter. D'un index autoritaire, il étouffa sa résistance.

– Je te cours après depuis plusieurs jours et maintenant que je te tiens, je n'ai pas l'intention de te laisser sortir de ma vie.

Il la regarda avec des yeux ardents.

— Je t'aime, Jasmine Storms et je veux t'épouser.

— Tu ne me l'as jamais dit, murmura-t-elle.

Ses yeux violets n'étaient plus que puits d'eau trouble.

— Tendre idiote! Je crois que je t'ai aimée dès le jour où je t'ai repêchée dans le lac. J'ai tout de suite su que je voulais passer ma vie avec toi.

Il effleura un petit grain de beauté sous son œil.

— Je t'aime, moi aussi. Non, je t'en prie, ne me touche pas.

Jasmine se réfugia à l'extrémité de la cuisine.

— Dieu m'est témoin, Laurent! Je t'aime. Mais je ne peux pas me marier avec toi.

Après avoir retrouvé son sang-froid, elle leva son regard sur lui.

— Je ne peux pas vivre des promesses que tu m'as faites et me demander sans cesse si tu me dis la vérité.

Il l'interrompit :

— Je ne t'ai jamais menti.

— Comment oses-tu dire une chose pareille?

Des larmes lui brûlèrent les paupières. Honteuse et déroutée, Jasmine les essuya d'un geste rageur. Elle émit un rire forcé.

— As-tu oublié la nuit où tu m'as promis de parler à mon père? J'ai cru que tu essaierais de le convaincre de ne pas conclure avec Dan Farrington, mais tu m'as menée en bateau. Tu lui as parlé, oui. Je t'ai vu aller à son magasin. Jusque-là tu as tenu parole, et tu ne m'as pas menti.

Elle ajouta tristement :

— J'imagine qu'il a déjà signé avec Farrington. Tu peux être fière de toi.

— Tu te trompes complètement.

Il se passa la main dans les cheveux.

— Je suis satisfait, oui, mais... et puis zut! Jasmine, je vais aller droit au but. Assieds-toi ici.

Il la poussa sur le canapé. L'indignation avait cédé la place au choc quand elle croisa son regard déterminé. Sachant la lutte inutile, elle tira sur le T-shirt pour se cacher les genoux.

— Cela ne sert à rien, dit Jasmine dans un souffle.

— Essayons quand même, d'accord? Je te dois une explication que j'aurais dû te fournir avant ma demande en mariage. Je devais jouer très serré et je ne t'ai rien dit. Il devait en être ainsi parce que je craignais, en t'avouant mes projets, que tu me prennes pour quelqu'un qui ne pense qu'à l'argent. Je t'avais blessée une fois, et je ne voulais pas risquer de te perdre.

Il effleura sa cicatrice. La gorge nouée par l'émotion, Jasmine posa ses mains sur celles de Laurent, observant son visage. Il poussa un long soupir et reprit :

— Je vais t'avouer la vérité : j'ai acheté la propriété de ton père avec la maison et tout le reste.

Jasmine en ouvrit la bouche de stupeur mais il continua :

— Et ton père loue le tout pour un bail à durée indéterminée. Il vivra ici aussi longtemps qu'il le désire et pour lui, rien ne changera. Il y gagnera même la tranquillité d'esprit.

– Je ne comprends pas, dit Jasmine, abasour-die. Pourquoi?

Il se justifia, presque en s'excusant :

– Avec tout l'argent que j'ai gagné au tournoi, j'ai besoin d'effectuer des investissements qui résistent à l'inflation. Des terres, comme celles de ton père, représentent le placement idéal. Je voulais me trouver en position de force avant de lui faire une proposition, ce qui signifiait s'armer de patience pour marcher sur les plates-bandes de l'offrant.

Il siffla entre ses dents et ajouta :

– La partie a été rude. J'ai dû jouer double jeu pour gagner du temps. D'un côté, il fallait jeter de l'eau froide sur les projets de Cal, de l'autre faire semblant de m'intéresser à la commission si je décrochais l'affaire. Dimanche dernier, Farrington se cassait vraiment la tête et il avait les nerfs à cran ; il m'a prié de persuader Cal de retirer son offre.

– Ce que tu as fait. Cela explique la raison de son abandon.

Jasmine se tordit les doigts, essayant de mettre de l'ordre dans son esprit. Elle se sentait déroutée et consternée.

– Je n'ai pas eu besoin de me donner cette peine. J'ai simplement montré les chiffres à Cal. Quel type ! Il a tout de suite compris que j'offrais à ton père une meilleure affaire. Il savait aussi que Pops se croirait redevable envers lui et que s'il devait choisir entre sauver sa maison et l'offre de Farrington, ton père opterait pour Cal.

— Et, connaissant mon père, il se sentira ton obligé pour la vie.

— Ne dis pas ça!

La fureur éclata dans sa voix. Pour la première fois, Jasmine décela des signes de tension et de fatigue sur son visage, ce qui trahissait la pression qu'il subissait.

— Il ne s'agit pas d'un acte de charité, si c'est ce que tu penses, mais ton père me rend un service en me laissant investir dans son terrain.

— Pardonne-moi, Laurent, dit Jasmine, sincère. Je crois que j'exagère. Mais il me faut du temps pour m'habituer à cette idée.

— C'est moi qui devrais te demander pardon.

Toute trace de colère évanouie, il lui caressa la joue.

— J'ai été stupide de te raconter tout cela aussi vite, comme un fait accompli, avec l'espoir de t'entendre dire « N'est-ce pas merveilleux? » comme si nous parlions de la pluie et du beau temps.

Il la rassura avec un sourire.

— Ton père et moi avons étudié la question dans ses moindres détails et je lui ai demandé de ne rien te dire avant de tout régler. Pas étonnant que tu aies mal interprété mes intentions. Pour quelle raison m'aurais-tu fait confiance?

Avec un profond soupir, il se leva et alla regarder par la fenêtre où il fixa un moment les collines, au loin, de l'autre côté du lac. Puis il se retourna brusquement :

— Si tu savais comment j'ai vécu ces derniers

jours... Je voulais en finir avec ce tournoi, et te retrouver pour tout t'expliquer.

Jasmine s'approcha de lui et posa la tête contre son épaule. Elle sentit la douce chaleur de ses bras qui l'enlaçaient et elle murmura :

— Scotty m'a dit ce soir que je n'avais peur de rien. Elle se trompait.

Elle leva les yeux sur lui et effleura sa mâchoire d'un doigt hésitant.

— En fait, j'avais peur de faire trop confiance à mon cœur.

Jasmine lui adressa un sourire timide.

— Laurent, pourquoi ne m'as-tu pas téléphoné? Rester une éternité sans nouvelles!

— Sans nouvelles? Seigneur! Allons dehors pour que je te rende un peu de bon sens avec mes baisers.

Sans avoir le temps d'ajouter un mot, il la tira par la main, sans plus de cérémonie. Il ouvrit la porte et l'entraîna jusqu'au bosquet. La lune avait des reflets jaune citron et débordait de promesses. Ses rayons tombaient en longs fils sur l'albâtre des bouleaux et dessinaient des ombres frémissantes sur les feuilles. Jasmine eut l'impression de pénétrer dans un pays magique, trop féerique pour être réel. Elle serra les mains de Laurent contre son corps, craignant que les mots ne viennent gâcher sa joie.

Laurent l'attira contre lui. A leurs pieds, l'eau chuchotait doucement. Ils échangèrent un long et tendre baiser.

— Pourquoi as-tu attendu si longtemps? murmura Jasmine en cachant sa tête au creux de son cou.

Tandis qu'il lui caressait la nuque, il resserra son étreinte et lui dit :

– Où te cachais-tu ? J'ai essayé de te joindre tous les soirs de la semaine. Ton téléphone sonnait toujours occupé. Que fallait-il penser ? J'ai cru que tu avais décroché pour m'éviter.

– C'est faux ! l'interrompit Jasmine en secouant la tête furieusement. J'appelais des antiquaires. Je t'aurais appelé plus d'une fois si j'en avais eu la possibilité.

De la bouche, elle effleura les lèvres de Laurent qui poussa un gémissement.

– Tu aurais pu venir assister aux matchs.

– J'y étais hier, parce que je voulais te parler. Puis tous ces gens autour de toi... J'ai manqué de courage.

– Et moi, je me suis précipité au Pays d'antan juste après la partie, lui avoua-t-il en l'embrassant sur le front. J'avais déjà fait une tentative la veille, mais tu étais parti à Tanglewood.

– Vraiment ?

Sans le quitter des yeux, elle répondit :

– J'essayais de tuer le temps. Je me sentais si désorientée à cause de toi... Cela n'a plus aucune importance, maintenant, mon chéri !

Elle rit doucement et déposa un baiser sur sa bouche. Tout à coup, il plongea la tête sous son T-shirt.

Après un long moment, il la regarda. Ses yeux avaient des reflets noirs.

– Jasmine, épouse-moi. Ne me fais pas languir plus longtemps. Je ne pouvais pas te demander de t'engager pour la vie avant d'avoir signé avec ton père. Il fallait que cette affaire se règle entre hommes, sans attache d'aucune sorte, de façon à ce que Pops ne se sente pas d'obligation envers son futur gendre. J'ai eu très peur d'arriver trop tard, car avec la fin de l'été, tu allais m'échapper sans me laisser le temps de te dire à quel point je souhaite que tu deviennes ma femme.

– Et j'ai cru t'avoir perdu à jamais.

Un bonheur immense l'inonda et elle prit le visage de Laurent entre ses mains tremblantes pour chuchoter à son oreille :

– Rappelle-moi de temps en temps de ne plus jamais te perdre de vue.

– Même si tu le voulais, je ne te quitterais pas d'un pouce.

Il l'enveloppa du regard en détaillant son maillot informe et ses jambes fuselées.

– Belle naïade, vous me devez une réponse!

Jasmine lui passa les bras autour du cou.

– Oui, Laurent. Oui!

Elle posa le doigt dans la fossette de son menton et but des yeux tout ce qu'elle aimait chez cet homme et qu'elle avait failli perdre.

– Maintenant, parlons des urgences, reprit Jasmine. En premier lieu, je veux un garçon avec une crinière de feu et un tempérament diabolique comme le tien. Ensuite, une petite Scotty pleine de taches de rousseur.

– Quand commençons-nous?

– Combien de temps faut-il pour faire publier les bans?

Ses paroles s'évanouirent sous les baisers enflammés de Laurent et ils restèrent étroitement enlacés. Le temps s'était arrêté, vibrant d'amour.

COLLECTION PASSION

mars 1990

Nº 248 *Chance et fortune* par Barbara BOSWELL

Nicole Fortune va trouver Drake Austin, le père présumé de Robbie, en se faisant passer pour la mère de l'enfant : elle a besoin d'argent. Quand elle découvre que le vrai père de Robbie est le propre frère de Drake, elle comprend que l'enfant va devenir un riche héritier. Dès lors, Nicole n'a plus qu'une envie : fuir ! Fuir Drake qui l'attire malgré elle, fuir pour lui cacher la vérité.

Nº 249 *Rencontre à la tombée du jour* par Judy GILL

Chaque fois que Sandy rencontre Rick Gearing, le malheur veut qu'elle le plonge dans les pires ennuis. De quoi décourager n'importe qui ! Mais pas cet athlétique professeur aux yeux si bleus... Pour rien au monde, Sandy ne voudrait céder à une aventure facile... « Pour rien au monde », se répète-t-elle désespérément, sans arriver à s'en convaincre.

Nº 250 *L'honneur d'un joueur* par Kay HOOPER

Lorsque Jennifer rencontre, dans des circonstances fort compromettantes, le beau et séduisant Dane Prescott, elle est loin de se douter qu'il appartient à la seule catégorie d'hommes qu'elle fuie comme la peste : les joueurs professionnels. La jeune femme n'oublie pas que son père s'est ruiné au poker, abandonnant la plantation familiale sur un tapis vert...

CLUB PASSION

mars 1990

Nº 70 *Le réveil de Calypso* par Lynne Marie BRYANT

Calypso Robbins saute en parachute sur les incendies de forêt, c'est son métier et elle l'exerce avec un acharnement étrange, jusqu'au jour où elle atterrit trop près de Jeff Adams... Ce cow-boy qui ressemble tant au héros de son roman préféré va lui apprendre qui elle est, sous son masque de garçon manqué. Mais le drame semble insurmontable : comment concilier son amour pour Jeff et sa fidélité au « serment », cette promesse qu'elle s'est faite il y a tant d'années ?

Nº 71 *Regard de braise* par Helen MITTERMEYER

Par quel miracle Felicity, tragiquement disparue au Liban, se trouve-t-elle devant Dev Abrams ? Dev avait pourtant reconnu les corps calcinés de sa femme et de sa fille... Alors, il n'a plus qu'une idée en tête : les reprendre avec lui. Mais l'ombre du passé plane sur eux. Leur amour parviendra-t-il à vaincre les années ?

Nº 72 *Une si jolie cible* par Doris PARMETT

Quand l'inspecteur de police Dan Murdock s'engouffre dans la voiture de Millie Gordon, la jeune femme, qui croit à un canular, lui oppose une farouche résistance. Cependant, lorsqu'elle comprend que sa vie est réellement en danger et que, pour la sauver, il devra simuler un baiser passionné, ses sens se troublent et sa résistance faiblit imperceptiblement.

COLLECTION PASSION

avril 1990

N° 251 *Au bord du précipice* par Patt BUCHEISTER

Joanna Kerr, fille de sénateur, se rend chez sa grand-mère, dans la campagne anglaise, sans imaginer une seconde qu'elle va retrouver Alex Tanner : Alex, le garde du corps envoyé par son père. Mais pour quelle raison ? Contre quel péril ? Pour la protéger d'un certain Steven Canfield, qui rôde mystérieusement ?

N° 252 *A pas prudents* par Jan HUDSON

Lorsqu'il fait la connaissance de Christina, personnage au caractère de feu, Nick a aussitôt le coup de foudre. Au premier de ses regards, la jeune femme se sent fondre, mais sa méfiance est plus grande encore. Car, enfin s'il était tout charme au-dehors et sans personnalité véritable, comme son ex-mari, qui l'a autrefois laissée seule pour élever son fils ? Moralité : la prudence s'impose.

N° 253 *Drôles de vacances* par Tami HOAG

Elle : ravissant ex-mannequin, héritière d'une immense fortune, fofolle et gâtée. Lui : un brillant député au physique ravageur, malheureusement obsédé par son travail. Ce jour-là, Brianne, survoltée, vient de planter son futur époux au beau milieu de leur cérémonie de mariage, pendant que Wade, épuisé, se promène sur une paisible route du Vermont...

CLUB PASSION

avril 1990

N° 73 *La ruche aux mystères* par Joan Elliott PIC-KART

Artiste peintre en renom, Finn O'Casey entre dans une librairie de Los Angeles où l'accueille la ravissante Liberty Shaw, une universitaire de Chicago qui a hérité de la boutique dans d'étranges circonstances. L'arrivée d'une milliardaire à la recherche d'un livre mystérieux va les inciter à faire équipe dans une enquête à laquelle participera Jared Loring...

N° 74 *La flèche d'argent* par Sandra CHASTAIN

« Prends bien soin de Jennifer et du bébé. Le bébé est à moi. » Telle est la surprenante mission que Jeffrey a léguée à son frère John... Or Jennifer Downey, voyant arriver John, prend peur. S'il voulait lui arracher l'enfant? Le secret de sa naissance pèse lourdement. Pourtant, une irrésistible attirance l'entraîne vers John, tour à tour tendre, justicier ou homme d'affaires. Quant à John, il est déconcerté par la fragile créature que son frère lui a confiée.

N° 75 *L'aube parfaite* par Marcia EVANICK

Parfois, l'amour s'impose de la façon la plus insolite. Erika se croit à l'abri de ces égarements du cœur : sa vie est toute tracée... jusqu'au moment où Jason Ness fait irruption dans son univers bien clos, à la recherche de sa fille. Il suffit que Jason la regarde pour qu'Erika se sente défaillir. Et après leur premier baiser, elle ne songe qu'à recommencer. Mais pourra-t-elle élever ses enfants, pendant ce temps? Et surtout, pourra-t-elle vivre une grande passion, au risque de blesser mortellement une petite fille au passé tragique?

FEMME PASSION

mars 1990

N° 5 *Duo pour deux solistes* par Elizabeth BARRET

Quand on est une jeune femme rangée, qu'on travaille du matin au soir dans une agence de publicité, quel choc de découvrir que son nouveau voisin est un chanteur de rock! En rencontrant dans l'ascenseur le beau Nicolas O'Rourke, Catherine sent naître en elle une irrésistible émotion... Mais pas question de s'y laisser prendre. Car une seule chose est sûre : Nicolas n'est pas l'homme qu'il lui faut!

FEMME PASSION

avril 1990

N° 7 *Anaïs, toujours* par Billie GREEN

Elle est l'enfant chérie de la haute société de Dallas, elle a les fées avec elle. Chacun envie Anaïs Criswell, surtout depuis qu'elle a annoncé ses fiançailles avec Joël Barker, le parti du siècle! Pourtant, Anaïs a besoin d'autre chose. Les réceptions fastueuses et les bijoux étincelants n'ont guère de sens dans un monde sans amour. Et Anaïs va fuir l'enceinte rassurante de la propriété des Criswell...

N° 8 *Le gagneur* par Helen MITTERMEYER

Eve a entendu parler du groupe financier Weldon-Tate, mais rien ne l'a préparée à affronter cet homme aux doigts d'or, ce gagneur qui le dirige. Solide, décidé, exceptionnel, Jeremy donne vie à la légende qui l'entoure en entraînant la jeune femme dans un véritable tourbillon. Cependant Eve, qui a tout perdu, se tient sur ses gardes. Elle ne peut se permettre de perdre aussi son cœur. Or Jeremy Weldon-Tate est un joueur. Un vrai. Il ne joue que pour gagner.

PASSION
LA SAGA DES DELANEY
LES ANNÉES DE GLOIRE

N° 11 *Les feux de cuivre* par Fayrene PRESTON, avril 1990

Sloan Lassiter, résolu à se venger de l'homme qui a causé la mort de son frère, débarque au Colorado dans l'hôtel où loge la pétulante Brianne Delaney. Et la passion qui naît entre ces deux tempéraments de feu les poussera à conclure un étrange marché lorsque disparaîtra Patrick, le frère de Brianne...

N° 12 *Caresse de velours* par Kay HOOPER, mai 1990

Victoria et Falcon se sont lancés à la poursuite de Marcus Tyrone, le seul homme capable de leur révéler le plus fabuleux secret de la guerre de Sécession : ce qu'il advint du trésor de Morgan Fontaine. Mais Tyrone est amoureux... Lui aussi doit lutter contre le passé pour conquérir le présent.

N° 13 *Souffle de satin* par Iris JOHANSEN, juin 1990

Colombe d'Argent l'a bien précisé : si elle quitte la Louisiane pour Saint-Pétersbourg, en Russie, c'est pour arracher sa protégée au directeur de cirque qui veut l'assassiner. Mais, dans l'île du prince Nicholas, son mari, Colombe constate que c'est elle qui est menacée... Désormais, une seule solution : pénétrer dans le palais aux cent dix-sept escaliers et séduire le tsar en personne!

N° 14 *Orage de soie* par Fayrene PRESTON, juillet 1990

Au péril de sa vie, Brianne Delaney s'est précipitée au secours de Sloan Lassiter. Son frère Patrick réapparaît bientôt. Et, après bien des orages, les relations entre Wesley McCord et Anna Nilsen prendront un tour inattendu qui les entraînera vers la Californie.

LA COMPOSITION, L'IMPRESSION ET LE BROCHAGE DE CE LIVRE
ONT ÉTÉ EFFECTUÉS PAR LA SOCIÉTÉ NOUVELLE FIRMIN-DIDOT
MESNIL-SUR-L'ESTRÉE
POUR LE COMPTE DES PRESSES DE LA CITÉ
LE 15 FÉVRIER 1990

Imprimé en France
Dépôt légal : mars 1990
N° d'impression : 13758